国家出版基金项目
NATIONAL PUBLICATION FOUNDATION

《三联经典文库》

第二辑

2012 年国家出版基金项目

《三联经典文库》编辑委员会名单

三联经典文库

137

民主·宪法·人权

——作之民

费孝通 著

生活·讀書·新知 三联书店

图书在版编目(CIP)数据

民主・宪法・人权——作之民 / 费孝通著. -- 北京
: 生活・读书・新知三联书店, 2014.1
（三联经典文库第二辑）
ISBN 978-7-108-04457-0

Ⅰ. ①民… Ⅱ. ①费… Ⅲ. ①宪政－研究－中国－民
国 Ⅳ. ①D693.2

中国版本图书馆CIP数据核字(2013)第050869号

137 民主・宪法・人权——作之民

责任编辑　邵慧敏
封扉设计　蔡立国
责任印制　郝德华
出版发行　生活・讀書・新知 三联书店
（北京市东城区美术馆东街22号）
邮　　编　100010
经　　销　新华书店
印　　刷　北京鹏润伟业印刷有限公司
版　　次　2014年1月北京第1版　2014年1月北京第1次印刷
开　　本　787毫米×1092毫米 1/32　印张 4.125
字　　数　53千字
定　　价　15.00元

《三联经典文库》出版缘起

适逢生活·读书·新知三联书店八十华诞，为弘扬传统，接续文脉，回报读者，服务社会，我们决定策划出版《三联经典文库》。

1932年7月，生活书店在上海创办，此后，读书出版社和新知书店相继成立。本文库第一辑、第二辑所选图书，来自于这三家出版单位及其分支机构，以及1948年生活·读书·新知三联书店成立后的出版物，始于1932年，截至1951年，两辑各一百种。此为第二辑，涉及政治、经济、社会、军事、思想文化诸领域，涵盖专著、文集、散文、小说、诗歌、传记、报道等体裁，既有直面现实、追求真理、讴歌真善美、抨击假恶丑的原创作品，又有引介世界各国先进文化、传播新知、开启民智的迻译之作，真实记录了那一代知识分子的思考与探索、理想与愿景和对中华民族文化传承与创新所做出的努力与贡献。

本文库所辑入各书，多为名家名作，在版本方面，以初版一印本或经著译编者审定、修订、增订过的版本为首选，因此本文库又具有较为珍贵的版本价值和收藏价值。

本文库还将编选续辑，使之成为恢弘文化工程。诚挚希望读者给予批评和指正，帮助我们完善编选工作，再现三联经典作品之风采。殊为遗憾的是，由于年代久远，一些原著译编者及其后人未能取得联系并奉付稿酬，诚盼版权所有者与我们联系。祈愿三联前辈所创造的精神财富能薪火相传，为中华文化的伟大复兴增光添彩。

《三联经典文库》编辑委员会

2013 年 8 月

凡　　例

一、本文库为重排本，由繁体字竖排版改为简体字横排版。

一、以忠实于原作、整旧如旧为编辑原则，对当时使用的专有名词、外文译名，以及民国时期的语言和特色予以保留。

一、原书注释如旧，编者所出的注释，均以“编者注”标明，以示与原书注释的区别。

一、对原书残缺或字迹漫漶之处，以□示代。

一、对繁简文本转换时的“如右”、“见左”一类，对应改为“如上（前）”、“见下（后）”。

一、对原书中各种错讹脱衍之处，直接订正，不再以其他符号标示。

一、对数字、标点符号的用法，在不损害原文语义的情况下，做必要的规范。

一、本文库各书均前插原书书影、原书版权页和文库版“本书出版说明”。

一、本书出版说明的撰写，以客观中立为原则，扼要介绍本书的内容、版本流转、著译编者的情况。

本书出版说明

本书收录了费先生探讨民主、宪政、人权的八篇文章。潘光旦为其作序，他“毫不犹豫地认为可以当做一册公民读本”。作者通过对话中穿插故事的方式，深入浅出、趣味盎然地阐述了自己对民主政治的基本观点，同时也向读者普及了民主国家公民应具备的基本政治常识。在当时国民党实施训政的社会背景下，作者希望能够启迪民智，倡导民主，表达以宪政立国的主张。

八篇文章皆以三个关键词构成其标题，直接反映各自主题。第一、二篇，作者关注民主，提出“选举票是人民的力量”，提倡言论自由；三、四、五篇关注宪政，讲述了美、英两国的制宪历程，指出宪法是人民与政府的契约，其作用是限制政府权力；六、七、八篇由邻居三嫂的丈夫被非法逮捕的案例而引起关于用法律保障人权、司法独立才能保障人权的讨论。

本书由生活书店1946年8月初版，9月再版，12月三版，1947年4月四版。此次出版，即以第四版为底本。

费孝通（1910-2005），江苏吴江人。幼年入母亲创办的蒙养院接受教育。1928年考入东吴大学学医，后弃医改学人类学和社会学，曾先后在燕京大学、清华大学学习，毕业后获公费赴英留学。1938年获伦敦大学哲学博士学位后回国，开展社会调查，进行民族学、人类学和社会学研究。1940年代，一度访美，回国后加入中国民主同盟，投身爱国民主运动。1949年后，主要从事教学、少数民族调查和识别等工作。1979年后致力于社会学学科的重建和乡镇企业研究，积极参与社会活动，历任中国科学院哲学社会科学学部委员，中国社会学学会会长，全国人大常委会副委员长，全国政协副主席。著作结集为《费孝通文集》。

生活·读书·新知三联书店

2013年8月

生活书店 1947 年 4 月第四版书影

青年自學叢書

民主·憲法·人權

——作之民——

版權所有·不准翻印

著者　費孝通

發行人　徐伯昕

發行所　生活書店　上海重慶南路六號　重慶·新加坡

特約經售處　聯營書店　重慶·漢口·成都

基本定價國幣叁圓
·外埠酌加郵運費·

中華民國三十五年八月初版
中華民國三十五年九月再版
中華民國三十六年四月四版

〔74〕S. 5001—7000

原书版权页

目次

序　言

——未经“国定”的一册公民读本

孝通最近写了八篇稿子，用对白和讲故事的方式谈论到民主国家的人民对于政治应有的最低限度的常识。这八篇是：一，人民·政党·民主；二，言论·自由·信用；三，协商·争执·智慧；四，宪章·历史·教训；五，波茨坦·磨坊·宪法；六，人权·逮捕·提审；七，特务·暴力·法律；八，住宅·警管·送灶。八篇的总题是“作之民”。

八篇合起来，我毫不犹豫的认为可以当作一册公民读本来读。高小的学生可以读，中学生，大学生都应当读，身为民主国家官吏而多少被妄自尊大的心理所驱策的许多朋友更不可不读。此册一出，而一切公民课本与公民教科书可废，特别是那些所谓“国定”的教本。这些公民教本原就不必存在，既存在了，原该早就作废；但民主国家不能没有公民，公民不能没有公民的教育，而公民教育不能没有教材，教材的有无是第一个问题，好坏是第二个问题，有而坏，总比完全没有好，完全没有，说来总有几分不像样子，不成体统。这种心理，无以名之，姑名之曰“姑备一格，宁滥毋阙”的心理。“国定”公民课本与教科书的得以存在，流行，甚至于还有上千上万的孩子们被压迫着背诵默写，好比前清时代的“圣谕广训”一般，至少有一半的责任要由这种心理负去。对于这一类的课本与教科书，当然也有人说好，甚至于还有人认为非此不行，对于这些人我不预备说话，孝通这八篇稿子，料想也不是为这些人写的。他们应该读，不可不读，是我的看法，他们有没有阅读的雅量与工夫，终究是他们的事。不过为那些一向受“姑备一格，宁滥毋阙”的心理所支配的朋友们，我要说，这一类的课本与教科书现在该可以作废了罢，因为我们已经有了这方面的更好的读物，不阙了。

我写这几句话的时候，恰好我的第三个女孩子在准备学期考试，手里拿着一本教育部审定的高级小学公民课本第四册，正在硬背，说得文雅些，正在强记。我顺手接过来一看，才知道她也受着上文所说的那种心理的支配，进了小学不能不读公民，读过不能不考，要考不能不背，要背只有硬记一法，因为，的确，全书十二课是十二篇八股文，减去了起承转合的技巧，和抑扬顿挫的声调，是根本不容易上口的，遑论背诵。十二课的节目是：国家的起源和演进，国家的组织，国体和政体，人民和国家的关系，宪法的性质和作用，中华民国的宪法，民法和民事诉讼程序，刑法和刑事诉讼程序，我国的兵役，我国的兵制，国民精神总动员，国民公约。好一大串大人都嚼不烂的东西，试问教十一二岁的孩子，除了硬背，除了囫囵吞枣之外，还有什么办法？怪不得有一位朋友某次谈起，公民教科书中全是一大堆大人的现成结论，教小孩子活剥生吞，结果不是喉头哽咽，定是肠子打结，最起码的也不免长期便秘，下气不通。

现成的结论，如果理论上经得起盘驳，事实上找得到确据，生活经验里有事物随时可供印证，倒也罢了。至少像前人背诵论语，孟子，大学，中庸，童年虽则活剥生吞，壮岁可以反刍细嚼，只要终身受用有日，何妨一时消化无方。不幸的是连这一点我们都没有着落。我们翻几课看看：

第一课里有如下的几句话："人类联合组织以后，为了合力奋斗，共同生活起见，便拥护一个聪明而有能力的首领来管理众人的事，这首领就是古时的皇帝……这便是最初的国家。"历史的事实，与初民社会研究所得的结论真是如此的么？原始人是不是真会一窝蜂似的拥护一个首领出来，我们无法断定，但拥护的名词听来十分新颖，不像原始人的动作。

第二课说到"国家是一种有机的结合"，什么叫"有机"，我料想不特学生听不懂，连老师也根本说不清楚。又说国家组织有四个要素，其三是政府。一半的话是"国家……要组织一个万能的政府，替人民做事，如果没有政府，人民不过是一群无组织无秩序的'乌合之众'罢了"。这有点不成话，试问万能政府和极权政府又有什么分别；理论上政府真应该万能吗？试看近代政治学家的议论有如梅瑞姆。历史上真有过万能的政府吗？连希特勒也不过是自以为万能罢了。试看人类学者与文化史学者的议论有如马林诺斯基，而马氏恰好是孝通从游最久的一位老师。无论在理论上或实际上，学者们大都认为政府只是人类社会制度的一种，和家庭，学校，教会，工商业团体，等等一样，各有各的能，谁也不是万能。至于说没有了政府，人民便是乌合之众，我倒要劝读者不必因无端挨骂而计较，在编写与审定的人也无非是故意说得凶险一些，借以见得政府的重要有如此者罢了。

第三课说到“国家可分做君主国与共和国，君主国体就是国家主权完全操在一人手里，共和国体就是国家主权属于人民；我国的主权属于人民全体，并且是实行三民主义的国家，所以中华民国是三民主义共和国”。姑不论中国是何种国家，根据这个所谓用主权做标准的分法，如果学生发问，英国属那一类？战前希特勒统治下的德国又属那一类？不知公民老师将何辞以对。

第四课讲人民的权利和义务，理论上大致不差，实际上则截至今日为止，学生所能在生活经验里引做印证的，似乎始终是一大串的义务，而权利几乎是绝无仅有。不过理论上也还没有问题。我百思而不得其解的是，何以“受基本教育”的一点也列为义务的一种，而不是权利的一种。教育就是发育的一个步骤，目的在求人格的完成，好比一棵植物要长成，要开花，要结实，试问那一个人不愿意，那一个人想推诿，而不得不安排在义务或责任里面。有人愿意把教育当义务看，我们就不能不疑心，那人心目中的教育大概不是属于启发的一路，而人民乐于接纳的东西；乃是属于灌输的一路，而人民不得不吞咽的东西。不过此种理论虽错，它与近年来的事实却相符合。近年来政府统制下的教育，很大的一部分是训，不是学；是宣传，不是教育。公民的教材就是一些上好的例子，公民课本的编者与审订者在这一点上至少没有骗人。

*　　　　*　　　　*

够了够了。普通征引别人的笔墨，如果不准备恭维的话，切忌断章取义，我是未尝不知道的；不过对于这一类一部分的目的在宣传某一部分人的政治信条，又不直接宣传，通体宣传，而像外国点心“三明治”一般，面包片夹些肉片，或不老实的小本商人一般，大铜钱里夹些小铜钱，我认为非“断章”便不足以“取义”。这和近代智识社会学里所称的“揭穿面具”属于同一类的技巧，是少不得的。

借了孝通这几篇稿子，说了一大堆久已想说，而表面上和稿子内容不大相干的话。不过，表面上虽若不相干，实际上是最相干没有的。孝通稿子里所谈的种切，就是公民读本里应当谈的种切，特别是在这个年头。坊间流行的公民读本谈国家，谈政府，谈人民，谈宪法、约法，谈民法、刑法，偶然看去，也未尝不面面俱到。但历年以来，在抗战与训政的两大帽子或两大金箍的压力之下，我们把课本与实际生活两相对照了看，我们只觉得关于国家与政府，或对于假国家与政府的命令以行的团体或个人，一切是实在的，一切都很有着落，而关于人民，一切是虚空的，一切是不兑现的支票。我们有政党，但政党已经成为一部分人的利害关系的结合，何尝能反映人民的意向？在政策的推行上，不能；在人才的登进上，更不能。我们在约法上何尝不申说言论以及其他自由的重要，但即在今日，有那几张报纸能就事论事，从而觅取问题解决的途径，而不专说一面之词，从而对其他的立场，扩大其距离，抬高其壁垒，而巩固其阵线的呢？我们又有连篇累牍的法律；政府说人民得享受法律以内的自由，但很难得有人问起，这些法律是怎样产生的？宪政一日不成立，训政一日不取消，训政期间的法律事实上岂不是等于训令？而训令的法律效用究有几许？同时，所谓法律方式的训令之外，我们又见到过不少的命令式的训令，手谕式的训令，这些训令对于法治的精神有助长之功，抑或有摧残之力，也是一些不大有人问起或虽问而无人解答的问题，至少负责公民教材的专家们从来没有答复过。兵役有兵役法，士兵的选取，公民课本上告诉我们是抽签的，但实际的经验告诉我们无钱的是被强拉的，被绑走的，有钱者是可以出钱买脱自己的，或买人顶替的。民法、刑法早已成文公布，但在提审法颁行以前，一个被告可以被拘禁上若干年月，受尽多少磨折，还不一定有机会和法律照面；即在提审法颁布以后，这种不提不审而无可告诉的例子，在各地方的监狱里还不知有多少；即在提审法公布以后不多几天里，我有一位朋友就无端的与毫无法律手续的被人逮捕，被人监禁。诸如此类名实背道而驰的情形，公民课本上没有看见提到过只字；而孝通的稿子里直接间接都讨论到一些，而在好几个节目上，还引证了不少耳闻目见的实例；即如“人权·逮捕·提审”一篇中所叙三嫂一家的经验便和上文所引公民课本十二课中的四课发生直接冲突：第四课的人民和国家的关系，第七课的民法，第八课的刑法，和第九课的兵役。三嫂可能有个儿子，儿子可能“履行”受基本教育的“义务”，他可能尽义务尽到高小毕业，他读到这几课的时候也就可能向公民老师说：“见鬼，你骗谁！”

孝通这几篇稿子写得都很成功；我说成功，因为在孝通，这种写法——用对白而穿插着故事的写法——是一个新的尝试。以前白乐天做诗，教不识字的老太婆也可以懂，可以琅琅上口，历史传为美谈。赫胥黎演讲科学和演化论，文字简洁，条理清畅，连工厂里识字不多的工人都觉得引人入胜，达尔文学说的不胫而走，论者推赫氏的功劳为多，好像连达氏自己也如此说。如今孝通谈论民主政治的基本认识，深入浅出，意远言简，匠心别具，趣味盎然，我以为多少可以和这两位前辈媲美。不过白氏自己是诗人，赫氏自己是科学家和演化论者，都是本行人说本行的话，孝通却不是一个专攻政治学的人，是以外行资格出来说话的，那就更见得难能可贵了。

不过，再进一解，政治学虽是一种专门研究，广义的政治生活与基本的政治常识却是尽人应有的事，因为人是一个政治的动物，在企求民主政治的国家里，也尽人有公民的权责；孝通写出这几篇稿子，也无非是努力于不辜负此种权责，一面所以求其心之所安，一面亦未尝不希望别的同做公民的人，更深切的了解此种权责，而更进一步的求其实现罢了。我在上文说他实在是写了一册公民读本，原因在此。

潘光旦　三十五年六月

一　人民·政党·民主

投票自由不受拘束

我还记得前年在美国北部一个农家作客，主妇太太和我们谈起了罗斯福的新政，我就问她你是那一党的？她很简单的回答我：“共和党。”我接着又说：“你常去开党团会议的么？”她不大明白我这问题，张大了眼睛表示要我解释一下。所以我又补充说：“你们怎样入党的？入党的手续怎样？有没有党证？交不交党费？”这些问题把她更弄糊涂了。“对不起得很，我不很明白你的问题，我说我是共和党人，意思是我上一次大选时投威尔基的票，我觉得罗斯福总统做了太久，该得换换人了。”

我对于那位太太的话也相当的不清楚，因之不能不再问下去：“你每次选举总统都去投票的么？每次都投共和党候选人的么？你是不是考虑那位候选人中不中你自己的意，只要他是共和党推举出来的，就投票选他么？——”

她很不好意思的摇一摇头：“按理我有了权利就该投票，可是也有时懒得去。譬如说，兰登和罗斯福竞选那一次我病了没有去。”她笑一笑：“若是我去投票，我会选罗斯福的。”

“兰登不是共和党的候选人么？”我插口说。

“是的，可是我不喜欢他。”

“你不是自己说是共和党人么？”我又问。

“可是，这并不是说我一定要投票选那个我不喜欢的兰登呀。这次我们县里选举议员，我又投了民主党候选人的票。因为我认识他，他是个好人。费先生，你以为我说是共和党人就必须投票选共和党候选人的么？那不是民主。我有我的自主，谁也不能一定要我投谁的票。上一次我选威尔基，汤姆（她的丈夫）就投罗斯福。投票前一天，我们两人还辩论了一场。汤姆也是共和党人，可是他这次去外边去走了一趟回来，偏说罗斯福好。他说了许多理由，我还是有我的成见，他说不服我，我也说不服他，各人投各人的票。”

“那么，你所谓共和党人是什么意思呢？”我不能不追问了。主妇太太给我问住了。她的女儿在旁却笑起来了。“孝通，你像个法西斯蒂！”

我没有想到会带这顶黑帽子，不免惊异的把眼光转向那位小姐。

选举票是人民的力量

那位小姐放下手里的织物：“孝通，你问我妈什么入党手续，什么党证，什么党费；你又认为一个人一定要受党的拘束投票，这些不是法西斯蒂么？我们美国是没有这一套的。我们喜欢谁就选谁。候选人要千方百计的讨我们喜欢，想得到我们手上的票。这张在我们手上的票是我们自己的，也靠这张票，我们的政府不敢得罪我们。若是我们没有投票的自由，美国怎能自称为民主国家？”

主妇太太打断了她女儿的话，插口向我解释说：“我说我是共和党人，意思不过是我大体上同意共和党的政策。其实，那是因为我的父亲是共和党的同情者，我也就继承了他的成见，我们在大选前总是要先去注册的，凡是合格的选民都可以去注册。注册时我就填上共和党，我可以参加共和党推举候选人的大会。我若不注册共和党，我就没有推举共和党候选人的权利了。但这并不说我们最后的投票时一定得投共和党的候选人。我们是在一个围着布幕的小房间里投票的，没有第二个人知道我真正投谁的票。我们说是共和党人或是民主党人，意思只是到那个党里去推举候选人罢了。我们没有党证，更没有起誓一类的入党手续，而且我们每次选举时，可以自由注册愿意在那一党里去推举候选人。”她顿了一顿：“我想罗伊思（她的女儿）说得对，这样才能使那些政客们不敢得罪我们选民。费先生，天下大概没有一个政客是好的，我们若是放弃了投票的自由，我们也就没有办法对付这批混蛋了。”

那位小姐回头问了我许多关于中国的情形，我窘得很，连忙用别的话吱唔过去。可是，我的日记上却写了一句话：“民主国家的政党不是限制人民政治意识和政治行动的机构。”

看了《威尔逊总统传》

不久之前我和太太一同去电影院看《威尔逊总统传》。从电影院里出来，我的太太向我说："威尔逊在学校里教教书多舒服，也不会劳苦得这样。我真不明白为什么那几个民主党的老头一定要去找他出来。从电影上看来，这几个老头不是本来不认得威尔逊的么？为什么他们自己不出来竞选，一定要找到威尔逊呢？使他不能安安静静教书，在球场上看学生们比赛？"

"那些党老爷有他们的苦衷，"我回答说，"他们要上台必须要人民选举，所以他们必须千方百计的猜测大多数选民要什么政策，喜欢那些人。猜得中就可以竞选胜利，猜错了也就失败。譬如那次竞选中，他们不能拉出个威尔逊，不能提出'新自由'的口号来，民主党也很可能会落选的。威尔逊名望高，要用他的名望来争取选举票，所以得三顾茅庐的请他出山。你还记得威尔基和罗斯福竞选的事罢？威尔基本来并不是共和党的人，可是共和党在那次竞选里，知道罗斯福是个劲敌，不请出一个美貌有魄力的人来做它的竞选人，不会有胜利希望。威尔基是个大公司经理，有名能干的，长得又漂亮，所以把他推举出来了。”

“你这样说，好像学校里选球员了。……”我太太说。

“不错，不错。政治本来该是当足球比赛看的，这也许就是《威尔逊总统传》那个电影用赛球的场面作为开场的原因。”我应着。

“可是，我不懂，这样猜测人民心理，挑选名角，不是这些政党在愚弄人民么？谁可保证他们说的话当话呢？”我太太还是问。

“选举票能做保证。”我接着说，“若是一个政党执了政，他们所许下的诺言不兑现，下次选举时就会失去很多选举票，甚至落选，退出白宫。骗人至多骗一次，而且骗了人就出卖了前途，因之代价太大，在可能范围内是不敢离开所许下的政纲太远的。”

我的太太却还觉得我的话里有问题，她想了一想：“依你这样说，美国的政党是干什么的呢？请人做官，听人民的意思做事，有什么好处呢？”

是的，我也相信很多中国人会这样问的。原因是在我们这现实生活里所认得的政党多少是一个特权阶级的集团。入党是想做官，做官是想发财：为了官可通财，所以不能弃官，于是要独占一切官职，这些人联合起来成为一个政党。在这种现实的经验中，自不易明白一个民主国家中政党的作用了。

我正想回答这问题时，公共汽车来了，我们忙着搭车，把话打断了。

到家坐了不久，来了一位刚从重庆来的美国朋友。我们寒暄了几句之后，我就向太太说："好了，你要问的问题问他罢。我正不知道怎样回答你。"转过来，我把我们看了《威尔逊总统传》之后的谈话告诉了那位朋友。

"这可难住我了，政党这个东西实在不容易说明，我在学校里考试也曾为此得到了个零分。孝通，你知道，在我们宪法上根本就没有这东西，制宪的那批人不但没有想到后来美国的政党在政治中发生这样大的作用，而且他们对于政党那个名词根本就不喜欢。"

"你们没有政党合法不合法的问题么？"我太太问。

"政党当然合法的，"这位朋友点了点头说，"像其他团体一般。我们宪法保证了人民结社和言论的自由，我们不过用这自由来争取自己的政治利益和发表自己的政治主张，结果产生了政党。宪法里虽则没有政党的明文，但是这并不是说政党是违宪或不合法的。”

我想接口时，我太太打住了我说：“今天晚上不是讨论会，我们不要把时候全花在政党上，这样好不好，劳莱（那位朋友的名字），你能不能最简单的回答我，美国政党究竟是干什么的？把我这个疑团弄清了，我们改天再继续讨论这问题。时间不多，我是不喜欢整天讲政治的，好像生活中只有政治一件事似的。”

政党是干什么的

那位朋友把手按住了额头：“好罢，我来讲一课书罢。我们知道民主政治是要以人民意见来决定有关大众的事，可是要知道人民意见却是件极困难的事。每个人对于每一个问题都有他自己的意见，各人的意见又是可以各不相同。若是众说纷纭，莫衷一是，怎能根据人民意见来办事呢？所以民主政治的初步工作是在‘整理意见’，归纳成几个不同意见，然后可以让人民根据这几个意见投票表决，寻出一个大多数人的意见作为办事的依据。”

“于是问题是在怎样去‘整理意见’了。若是每一个人，你说一句，我说一句，意见可以愈弄愈分歧。最切实的方法是有个人起个草案，根据这草案，再让人家批评，修改，编成条文。这其实就是政党的一个重要任务。民主国家的政党并没有不变的‘主义’，更没有发起人的‘遗教’必须被遵守的，他们每次选举时都要临时编出个纲领来。这些纲领就是整理过的意见。”

“一个国家的人民因为看法不同，利益不同，不容易有一个一致赞成的意见，所以若干政党便同时去整理不相合的，甚至是相反的意见。最后每党提出一个他们认为可能最最合人民大众意见的纲领来。人民就根据自己的意见去看那个纲领最中意，中意那个就投那个党的票。票子多的政党猜中了民意就可去推行他们的纲领，给他们政权。政党是一个整理民意的机构，而且使实行的纲领必然是大多数人民的意见。”

“政党的第二个任务是推举人才。有了纲领若没有合式的人去执行，还是没有用的。在民主政治中每一个公民都有资格做官的。可是粥少僧多，决不能个个都成为总统。谁来选择呢？若是每一个人都自己站起来竞选，都是候选人，那是又会乱烘烘的一团糟了。所以又要一个机构来推出少数候选人，然后让人民来挑取他们所中意的。这里又需要政党了。政党为了要取得多数选举票，所以必须尽力的去寻出众的人才来做候选人。这样有能力的人就有机会被挑中了。”

趁劳莱停一停，喝口茶的时候，我太太加了一句：“你这样说来，美国政党有一点像我们的荐头店，荐头店的老板要体悉那一家的主人脾气，性情，工作，然后去挑一个合式的老妈子送去。是不是？”

“是的，是的，我们的确把我们的官吏当老妈子看的，称他们为公仆，有时还要很苛刻的对待他们。”劳莱很得意的点头。

我们的谈话，于是转入了家务。

那天晚上我记日记时写着下面的话：

“民主国家的政党不是一个做官的，或是想做官的集团，而是整理民意，推举人才的政治机构。这机构的基础有二：一是人民可以自由结社，自由言论；二是用选举票来决定政策和官吏的任用。民主政治不能没有政党，可是政党的积极贡献也必须在民主政治中才能表现。”

二　言论·自由·信用

星期天的朝上，有位广东朋友约我到金碧路去“饮茶”。从城北坐上公共汽车，停在近日楼的附近。这是我最喜欢的地方。铁栅东边，坐着一行卖花女，四季不断的鲜花，常引起我一种幻想：我想这天赋独美的南国只要政治一清明，经济一繁荣，遍地的鲜花，黄的迎春，红的山茶，足够把这历史上的抗战名城打扮得妖娆迷人。我的幻想总有一天会实现的罢？我自己问着自己。有时，为了路旁垂死的瘦骨，和南屏街高楼对照得太明显，也使我不敢再看那些无邪的鲜花。可是也不愿放过一些可以支持我这幻想的证凭。那天从公共汽车上下来，被近日楼下看壁报的群众吸引到了他们里面。这一刹间，我觉到一种愉快，似乎是说我这久存的幻想有了实现的消息了。

我的愉快并不只是昆明有这样多人肯鹄首街头看壁

报，而是在近日楼四周同时可以贴出意见相反，言论不同的壁报。这一件事实给我很大的鼓励。

同行的朋友催着我走。也许是怕去晚了，茶室里会找不到座位，可是他并不这样说。他用了不耐烦的口气，指斥着眼前的形色：“好好的城墙贴得满满的像什么？而且，你瞧，这也是讲民主，那也是讲民主，不是把人都弄糊涂了？言论，这也算言论！”

我笑了一笑：“我却就爱这个，民主就是这样长成的。我对于近日楼更喜欢了，因为它使我想起伦敦的海德公园。”

我想起了海德公园

九年前我在伦敦，初到的时候，我曾打听寓所的主人：“我想认识伦敦，应该先到那里去？巴力门，还是唐宁街？”那位老太太摇摇头说：“这种地方你去干什么？你得先上海德公园，在海德公园里你才能了解我们英国怎么会有巴力门和唐宁街的。”她的意思是说造成英国政治的是英国人民的精神。并不是有了议会和内阁，英国才得到民主的政治，而是人民中有了民主的精神，才有英国的议会和内阁。海德公园正是民主精神表演的地方。

多雾的英伦常使人懒得出门。可是我既然得到寓所主人的指导，不能不下个决心到海德公园去看看了。海德公园和英国其他的公园一般，并没有太多的奇花异葩，更没有关在笼子里的孔雀，只是一片旷地，保留着一丛丛比伦敦年龄更高的林木。海德公园所以著名，却是在园角那片宽阔的草地。这草地上有着各色各样的人，站在桌上，椅上，肥皂箱上，同时向着游客演说。有些吸引着几十到几百个听众，围得密密层层；有些只有一二个人，甚至，一个听者都没有的，大家还是提高了嗓子在说话。我在好奇心中挤进了一群人。那位先生却在大发议论说当时首相鲍尔温是个伪君子，他说了几个理由；台下就有人接口，问他自己是不是伪君子？天下那个人不是伪君子？另外又有一个人却出来为演说者辩护。很多人中有点头的，有叫 Hear！ Hear！的（赞成的意思），也有气得胡子都翘起来的。在毫不相识的人中，热烈地互相辩论了一场。

一忽，又换了一个人上台，大大的批评在离开不到五十码的那个在台上说话的人的意见，对面那个是工党，在这里站起来的是保守党。两人唱对台戏。听众里有些人，听了一回，不满意，走到对面去了。同时也有人从对面走来。

听的人，有话想讲，随时随地，可站起来讲。听一阵，觉得没有趣味的，随时可以走开。在海德公园里真可以说是议论纷纷了。幼稚可笑的，胡言乱说的，有条有理的，引经据典的……种种色色，无不俱备。从立场说，有极端的保守派，有过时的传道士，也有激烈的共产党，真是无派不全。可是有一点，也就是我寓所主人要我去看的一点，值得我们这些异邦人记得的，是在海德公园中，从来没有人互相打过架，没有人流过血，没有人投过手榴弹，没有人停止过别人说话。即使没有人听你，你照样可以直了嗓子发议论，没有人笑你。我确曾看到一个没有听众的演说家，而且据别人和我说，他是每星期必定来的。大家非但不耻笑他，而且认为这人不错：自己认为对的就得说。他每星期可来唱独白，可是他却不能强迫别人来听他。更不能不许别人说，只准让他说。他若这样做，就不能在海德公园里了。

意见的乱和行动的乱

从近日楼到金碧路的路上，我把海德公园的情形描述给我的朋友听，一直到我们进了茶室。坐定了，我还沉湎在记忆里。我的朋友打断了我的独白："我知道你从小喜欢热闹，乱烘烘的，像你的书桌一样，不乱，写不出文章。我和你的脾气就不同。我喜欢有秩序，有纪律。像近日楼的乱劲儿，我就看不惯：照你所说的海德公园，我一去就会头痛。"

"老王，你说乱么？也许不错。但是你也不能不承认英国政治和社会是最有秩序的，最不乱的。他们好像有很纷乱的意见，但是大家把纷乱的意见自由的说了出来，大家有机会听到别人的意见，大家能对于每一问题思索一番，结果才有相同的意见，也才有衷心情愿的相同行动。意见阶段里的乱却是达到行动阶段里不乱的必要过程。老王，你喜欢意见阶段里表面的不乱，而行动阶段里发生乱么？"我逼着我的朋友回答我。

“都不乱，才是我的希望。”他回答了。

“你希望一件不可能的事了。”我很快接着说。

我的朋友放下茶，等待我的解释，所以我接着说下去：“每个人身世不同，经历不同，利益不同，希望不同，所以对于任何一个问题的看法也不会相同的。一个人的意见总是片面的，总是从个人的经验和立场出发的，所以在意见上开始时总是各人不同的。但是在一个团体里生活的人又不能不有一致的行动。团体生活的主要问题就在怎样从各人不同的意见中去求得一个共同能接受的总合意见。怎样能总合呢？就是要大家能了解别人的经验和立场，和共同利益的所在，互相迁就，调协，使有一共同的意见来做一致行动的根据。——”

“要行动上一致，我们不是可以加以管制的么？否则要权力做什么呢？”我的朋友插入了一句。

“不，”我很坚决的说，“一致行动不能没有共同意见做根据。外在的权力没有法子改变内在的动机。若是用权力来维持行动的一致，不但不能持久，而且这一致只是属于表面的。权力必须有人把握，握有权力的人没有法子永远的监督着每一个人，看守着每一个行为；所以权力所不到之处，行动上就得不到一致。监督各个人行动最有效的力量是每个人自己。我们没有一刻能不受自己意志的检察。我所说共同意见，就是每个人自己接受的意见，自动地发之于行动，这些行动也自会一致。从意见上谋调协着手，来取得团体一致行动，是最可靠，也是最经济的办法。”

尊重别人，尊重自己

我说了一阵，好像是在课堂里讲书，自觉不好意思了，所以借着茶房送点心上来时，把话收住了。可是我的朋友却觉得很有兴趣，因为他正在工厂里做事，在管理工人时常常逢到工人们阳奉阴违的事，使他无法提高工作效率。所以他很表示同意的说：“心悦诚服自然是最好。对人必须诱导感化。孝通，这点我是接受的。我不是常常说，中国基本问题是在教育么？”

“老王，你所谓教育是什么意思呢？”

“你在大学里教了这多年书，还要问我这问题么？可是，我也不妨从我在工厂里的实地需要说。我希望工人们能了解我的观点，对于他们的工作能认真的做。”我朋友说。

“很好，每个人都是觉得自己观点是对的，而且应当是这样的，这样才能使一个人认真和负责做事。但是你说要从教育来使别人接受你的意见，我觉得你所谓教育和我所谓教育，的确有一点重要的不同了。”说到这里，我的朋友插口说：“好罢，你说你的教育罢！”于是我又说了：“我倒并不想讨论教育本身。你若有兴趣，可以看一遍潘光旦先生的《宣传不是教育》。我要问你的是你也想过去了解工人们的观点么？你也问过自己：为什么工人们不认真做事？”

“工人们的观点么？”我的朋友似乎问他自己。

“是的，”我说，“工厂是一个团体，你们需要行动上的一致，可是显而易见的你和工人并没有相互的了解，是不是？老王，你若容许我说一句直率的话，你并没有想到工人们的观点是值得你考虑的，你只想工人接受你的观点，并没有想接受工人的观点，是不是？我很希望你去海德公园看看，在海德公园里，你会发现别人也有不同的观点；而且，你若平心静气的听，你会发现他们也都觉得自己的观点是正确的，意见是对的。这时候，你会觉得究竟谁对谁不对，大概不应当由自己来作判断，而应该让别人来批评了。”

“这是英国觉得骄傲的精神，要别人尊重你，你必须尊重别人。若是你觉得别人全不及你，人家的判断都不正确，只有你是有能力，有资格知道是非的话，你就不必考虑别人的意见了。民主不但要尊重别人，认为每个人是最能从他自己立场辨别是非利害的人；而且也是尊重自己的。尊重自己，所以不肯把决定自己利害生死的事托付给别人去包办。”

言论自由矫正了欺骗

我的朋友听见我又提到“民主”，知道我的话定会拉得很长，所以特意叫茶房来冲茶，暗示要我改变改变话头。我因之停住了。喝了一回茶，我们重又回到近日楼来搭车。我的朋友也许是因为受了我刚才一番议论的影响，所以也走到城墙边去看看壁报。他绕了一圈，很失望的向我说：

“我不明白你对于这壁报会存什么希望。我虽则素来对于政治不感兴趣，可是单凭我的常识，我就看不出靠西面城墙上那几张壁报有什么道理。很多话太幼稚，不近人情，要是看的人都相信了这些话，我就不知道对于中国有什么好处。”

“老王，”我却很高兴的回答他，“你是知道我立场的人；你知道我若是写文章时，这些文章会贴在什么地方？可是，我不愿意别人只看我的文章，因为我不是上帝，谁也不能保证我的意见永远是比别人高明的，我自己决不敢这样保证自己。我希望别人也发表意见，让看的人自己去选择。我觉得高兴的不是这些壁报里都是名贵的指示，而是大家能自由张贴的事实。中国若要进入民主，这是第一步，各个人能自由把意见发表，使人民可以自由去批评。近日楼变成了海德公园，我是心满意足了。”

“孝通，若是你看见有人在骂你，你觉得怎么样呢？”

“骂得有道理，我应当接受；骂得没有道理，我只有信托读者，他们会辨别是非。我总觉得你是不很相信别人有判断能力的。我同意你，人民有时是会被欺骗的，但是，说来也可以使人放心，世界上一切骗局决不会永久的。而且假若你让每一个人能发表意见，每一个人能自由听取别人的意见，也没有人敢欺骗人。骗了一次，一失信用，他的言论也会没有人相信了。所以在有言论自由的国家里，欺骗是最愚蠢，没有人愿意，或胆敢这样做的。诚实是处世最可靠的方针，乃是经验之谈。”

我的朋友点了点头：“是的，我最近看到中央社的电报，心里多少有一点怀疑，就因上次学生运动中，它失了信用。”

我高兴的握了老王的手：“我想早些回家了。你看了这许多街头壁报，不是有你的判断么？别人都像你一般的。我希望近日楼变成海德公园，至少，大家能相信自己能用话来争取人们的同情，比了四个月前用手榴弹去压制别人说话是大大的进步了。爱中国的人，对于一切进步要关心，要赞成。这是第一步！只要不退步，中国是有希望的。”

我和我的朋友分了手。我转身在花市里带回了一枝梅花。

三　协商·争执·智慧

> 假如各邦拒绝批准这一个宪法，最可能的是从此将不会再有一个在和平中销毁另一个宪法的机会了——下一个宪法势必将要用血来写成。

以上是一七八七年九月十七日美国宪法草案经三十九个代表签了字之后，华盛顿先生所说的话。一个国家能用墨水来写成宪法原是上帝的恩典；可是墨水写成的宪法却要人的智慧和慈悲去赋予它生命，偏见和自私可以使它无过于黑字白纸。人还是要生活下去的，管理众人之事的政治还是要依着大家愿意遵守的轨道运行，宪法，不论是成文的，或是不成文的，还是要确立的；只是在那个时候，要有一部不是偏见和自私所销毁得了的宪法，这宪法却可能必须在一叠血案的方式中出现了。每个国家似乎都不会没有一个用墨水来写定宪法的机会，在美国这机会是在一七八三到一七八八的五年中，可是日子一天一天的过去，美国的命运还徘徊在未定之中，艰苦争取独立的国父，不能不在这最严重的关头，向人民提醒这一个历史的原则了。

一百六十年后的今日，美国人民经了多少次人类的厄劫，非但不衰，而且蒸蒸日上；享有普天之下最高的生活水准，担任着民主和平的卫士，以盟主的地位号召全球，——这些没有人能否认的事实做了当时制宪诸公智慧的见证。可是我们不应忘记的，那个成为美国人民幸福磐石的宪法，它的草案最后协议是在五对四的狭缝里完成的。一票之差可能在历史上造下的距离，真是难于想像。我们固不必在这狭缝上多作消遣性的推测，但是这却也说明了美国宪法的诞生并不是一件瓜熟蒂落的自然礼物，它是一件人类智慧的创造，它是在惊涛险浪中争得的成果，这段历史是值得一百六十年后，在地球另一面的大陆上，被一个新的宪法难产引起着烦躁，甚至颓丧的朋友们重温一遍。谁也不能保证上帝的恩典一定会降到我们的身上，但是要避免历史的残酷，道路也许也只有一条。

和平团结的道路

战争带到人间的，即使是胜利，果子总是酸苦的，不论它瞬息即逝的表皮是怎样鲜红夺目。美国的独立战争岂是例外？当北美的十三州宣布独立，向大英帝国挑战，八年的岁月里有的是艰苦。但是为了自由，为了胜利，团结的精神维系着生活日益下降的人民。他们“为了共同防御，安全的自由，和相互的幸福，缔结一个坚强的友谊同盟”。这个同盟为了战争的需要，在每州一票的会席上有权宣战、订约、铸钱、举债和统率军队。可是这是一个应付危局的各州政府联席会，不是一个各州人民共同的政府。独立一旦获得，共同的敌人一旦消灭，问题也跟着发生了。“坚强的友谊”并不够担负在共同作战中所引起的共同责任。在战争期间共同发行的公债，各州谁也不太认真的想清理了，于是债券的价值一落千丈，吃苦的自然就是各州持有债券的人民。更严重的是那些为独立而出生入死的士兵们，战争结束，各州各自为政，士兵的抚恤——复员的问题落到了没有实权的邦联机构肩上，无法解决。一七八三年六月里叛兵竟冲入了费城的邦联会议厅里，把代表们轰走；若不是华盛顿出来镇压，局面可以闹得不可收拾。又像麻省的乱事，散兵打家劫舍，四处滋事，很久才平复。这一类事情使每个人民都在恐惧不安的紧张里期待一切可能的事变，人心浮躁，秩序混乱。美国当时的社会贤达，感觉到这样下去，祸变叵测，可能把八年苦战的收获全部丧失。在他们相互的通信里充分的表现了局面的危急和他们的责任，感觉最深的自然是华盛顿自己。他在疆场上看见多少忠勇的人民流血牺牲，他在村舍里目睹妇孺老幼的流离颠沛，他的良心上要能受得住这些印象，只有负责把自由和幸福实现在国土上，使这些代价得到报酬。

和平、统一是当时美国安定民生的惟一道路。各州必须要放弃一部分的主权，组成一个有实权的联邦政府；可是要使各州愿意放弃他们一部分的主权，必须要保证联邦政府决不会侵犯各州人民所必需的自由。这个平衡若是找不到，联邦政府不能建立，各州各自为政，必然会延长混乱的局面。

就美国当时一般人民说，他们虽则已身受社会秩序混乱的痛苦，但是他们刚从大英帝国统治中解放出来，对于一切权力都深恶痛绝。华盛顿那些领袖们所认为必需的中央权力正是一般人民所不愿接受的方案。两年很快的过去了，混乱的情形只在加深中。在一七八五年的春天，华盛顿才得到了一个机会，那时 Virginia 和 Maryland 两州因为航运发生了争执。这争执表明了各州各自为政会限制经济事业的顺利发展。在实际利益上人们容易使用理智来面对事实，所以华盛顿就请两州代表协商合作办法。他在协商会里提出了统一税额、币制的基本建议。这些具体的建议引起了代表们的兴趣。可是要实行这些大家有利的方案，两州是不够的，于是又把附近两州请了来参加。结果四州代表决定了在翌年九月里召集一个十三州的商业会议。一年又这样过去了。到那时候，到会的只有五州。可是这会议却没有流产。哈密尔顿在会里提出一个建议。到翌年五月里再开会，同时把会议的范围扩大了一些，将讨论一切有关十三州联合的问题。到会的代表经了多次的恳谈，已逐渐了解联邦政府的重要；他们不但赞成这建议，而且各自把这点认识带回了家乡。这样又是半年多。耐心，耐心，时间是不能吝啬的，只要是向着一个目标在移动，速率自会在时间里增加。

可怕的争执和伟大的折衷

独立宣言发表后十一年，一七八七年五月二十五日的费城会议终于开幕了。这一次会议中，十三州里只有一州没有代表。五十五个代表包括着美国当时各地的领袖人物：律师、法官、州长、医生、地主、商人；有八十一岁的老翁富兰克林，有二十九岁的小伙子 Charles Pinckney，真是济济一堂。华盛顿所盼望已久的集会终于实现了。他在开会前夕发表了一句话："很可能我们所提议的计划不会被接受，也许还得经过另一个可怕的争执。假如为了要讨好人民，我们提供一个自己所不赞同的方案，此后我们怎样能够为我们的工作而辩护？还是让我们提高我们的标准，使智慧和平得以实现，至于成就与否，原是上帝的意志。”

的确是这样，每一个代表都明白这个会议将决定多少人民的灾难和幸福，将决定美国的命运；每一个代表都有他的见解和希望。他们之间可以相差极远：崇拜英国贵族精神的哈密尔顿主张一个终身职的上议院来阻挡任何过激的变动；他甚至想立一个类似英皇的总统，不同的只在世袭和选举上。小州的代表们像 Paterson，却要保持旧状，联邦政府不能超过于一个各州政府的联席会议，至多加一个有限的联邦法庭。极端的“无能政府”的主张者杰斐逊自己虽没有出席，但是他的影响也不能说完全没有发生作用。各人有着不同的意见，各人又认真的觉得自己的是最好的意见，“可怕的争执”自然是免不了的。他们知道这些争执若是泄露到会外去可能增加协议的困难，所以规定了绝对秘密的规则，非但当时不给会外的人知道，而且相约与会的人一生不得泄露会内的争执。宪法之父的梅迭生在生前发表他的政治文件时，宪法会议的一部分纪录却特别除外，到他死了之后才公布。

会议的秘密并没有掩饰当时“可怕的争执”，连华盛顿自己都用了尖锐的语调来批评对方了。这时若没有那位八十一岁的老翁富兰克林在场，这会议可能就决裂了。老先生看见会场的空气已经太热，理智已被感情所掩盖，不能不站起来要求停会三天，“让这一阵激动过一过，大家才能没有意气的，自由的，充分的对这些问题细细考虑”。同时，他提议会中请一位牧师祈祷“宇宙的创造者，恳求他主持我们的会议，用他的智慧启迪我们的心灵，把真理和公平的爱好注入我们的心中，使我们的辛苦得到完全和丰富的成功”。

富兰克林的诚意，通过牧师的祷告，感动了与会的代表，这三天里，真是像是上帝答允了他们的祈求，产生了奇迹。在七月二日会议重开时，空气突然改变，协议的基础，“伟大的折衷”，就在那天提出，十六日以五对四通过了这折衷方案，那就是现在美国宪法的最初草案。

政治家的风度

经了三个月的会议，九月十七日三十九个代表（十三个代表已经离会，三个代表拒绝签字），在草案上签了字。字是签了，这并不是说每个代表都满意了；相反的，我们可以说没有一个人觉得这草案实现了自己的理想。哈密尔顿在签字下注明："没有一个人的意见比了我自己的距离这草案更远，但是我们继续在混乱和痉挛中犹豫呢，还是不如在这草案上寄托我们好意的希望？"和平老人富兰克林签字时说，这宪法中有几部分他是不赞成的，但是他愿意信托别人的判断。华盛顿就在这时候说出我在本文开始时所抄下的警句。这时谁也没有把握敢说这草案会得到各州的批准；可是除非有九个州批准，这草案就会失败。于是又展开了一幕更广大的争执。

因为这宪法规定了上院是以州为单位所组成，所以人口稀少的州觉得很合算，很快的批准了，可是只有四州，其他九州却迟迟不肯批准。那时，各个在草案上签字的代表，不论他个人的见解怎样，都觉得有要求人民批准的责任。他们回到本州，尽力的为宪法草案努力。譬如说自认和这草案距离最远的哈密尔顿，却成了最努力敦促人民批准这草案的著名人物。他是纽约州的代表，纽约州的州议会里大多数的议员反对这草案。他要说服人民使他们加压力于议员们的身上，所以他发动了广大而有力的宣传。他写了很多的文章，这些文章后来集在著名的《联邦论者》一书里，成为美国政治理论的经典，一直支配着美国早年的政治。哈密尔顿的精神是值得我们赞扬的，他之成为美国史上第一流的政治家和开国的功臣，就因为他具有这种精神。他并不因为这宪法草案和自己的理想相差的距离很大而在会外设法阻碍这草案的被批准，而是因为这草案既经自己参加的会议中通过，放弃了自己的私见，在十分困难的环境中，为这草案奋斗，尽他最大的能力。经他的奋斗，这草案居然最后能以相差三票的数目获得纽约州的批准。

在其他地方，我们见到类似的情形，在Pennsylvania州有若干议员反对这草案，拒绝赴会，使会议开不成。可是这地方人民却因代表们的解释，赞成批准这草案。他们群起到这些拒绝赴会的议员家中把他们拖到议会里，结果也通过了批准案。

在Virginia州的议会里发生了很激烈的辩论，因为这州里有着最雄辩的对手。著名的群众领袖Patrick

Henry 领导着反对派，主张批准的领袖却是拒绝在宪草上签字的 Randolph（后来是美国第一任的联邦检察官）。他像哈密尔顿一样放弃了私见，为宪法的批准而奋斗了。结果以八十九票对七十九票获得批准。

经过了这场争执，美国的宪法才正式确立。美国人民，尤其是当时领袖们的智慧和慈悲，邀得到了上帝的恩典。他们不必经过流血就走上政治的常轨，立下了一百六十年来生活安定，经济繁荣的基础。在今天，我们重读这段历史，像是一节可羡的故事。当我们读到紧急的关头，也不免替他们担心：假如失败了怎么办呢？会有什么后果呢？今天的世界会怎么样呢？我们私心庆幸这些难关都一一渡过，我们感激这些功臣们的劳迹，因为世界上有今天的一日怎样能缺少这一段历史？若觉得今天的世界有着光明，我们又怎样不归功这辈先哲呢？

每一个人有他为人类服务的机会，历史的功罪会历久更新。当我们提到华盛顿，富兰克林，哈密尔顿的名字时，不必妒忌，有为者亦若是！在我们眼前不就有着和他们同样的机会，同样的责任？

四　宪章·历史·教训

从美国制宪故事所引起的

下午，我在晚翠园树荫底下看书，有两个学生在找我。他们和我说，早上读到了我那篇《协商·争执·智慧》，有一点意见。我很高兴的请他们坐下。

张开始说了："我们确是被一个新的宪法难产引起着烦躁，甚至颓丧的人。我们了解费先生那篇文章的意思是劝人为善，希望中国这次协商会里的代表们能学学美国的哈密尔顿，在会内尽管争，一签了字就得放弃成见，为会内同意的决议案尽力促其实现。我们大家这样希望：当政的人能顾虑到他们历史上的机会，不要错失。正像你时常和我们说的，在教育家的立场，必要假定人性是善的，是可以为善的。但是——"

我很高兴学生们能用他们自己的见地批评我的言论，所以点头鼓励他说下去。

“——我们几个同学讨论了一番，觉得美国制宪故事和我们现在的处境不完全相同。在美国当时，并不是人民向统治集团要求解放；他们的问题是从统治者那里解放出来之后，怎样加强联邦政府的权力。在他们的制宪会议中已经不发生怎样使政府向人民负责的问题，因之他们容易得到协议。”

我听了这段话，觉得很有意思。历史的教训也许还需要更完全的背景，所以我就说：“你的批评是对的。我在那篇文章中所要提出的不过是政治家的风度，以及人民的耐心。这两点我还觉得很重要。你所提出的：中国现在的制宪，性质上和美国当时的制宪有差别，也很重要。若是我们把目前的局面看成中国人民争取权利的过程，我们确是应当把美国独立运动的全部历史一起看。”

李插口说：“马歇尔在纽约演讲中不是说过要中国统治集团放弃他们的特权是有周折的么？这不是说我们制宪过程的中心困难是在既得利益不会感觉到一个把政

府权力放在法律之下的宪法对他们是有利的？我们有一点像是与虎谋皮。费先生，我是比较心急的人，我怕智慧和慈悲或者不如压力有效。”

我正想回答他们时，又来了一位客人，所以我约他们到晚上，多邀几个同学，一同讨论一下，因为我觉得这问题是很值得我们细细考虑的。

那天傍晚，我接到重庆来的一封航快，是一位在英国时同学的朋友写给我的。信里很简单的说：“看了你美国制宪的故事，我很想也写一篇英国制宪的故事。英国那三大民主宪章的经过是应该及早写出来让大家知道的，也许在某种意义上比美国制宪故事更切题。若是想以历史教训来警告当局的话，英国的故事也更有力。可是近来我病了一场，很多杂事羁住，一时不易下笔。你高兴的话，代我写一写也好。”

到晚上，有十多个学生围着我要讨论早上两个同学给我提出的问题，我记起重庆的来信，所以开头就说：“我很明白你们的问题，想今晚和你们讲讲英国的制宪故事，假若你们觉得在我那篇美国制宪故事中有找不到的答案，希望在今晚的故事中得到一些线索。”

“可是我先要声明的，人事并不像自然现象。一块砖抛出去所形成的弧线和另外一块砖所形成的没有什么不同，人事却不然。人能在历史中获得教训就大可不必重踏不愉快的经历。我还是如早上那位同学所说的，总是想劝人为善。我还是相信人的智慧和慈悲可以使人避免很多历史上的痛苦的。”

下面是我所讲关于英国宪法的话：

约翰王和大宪章

英国并不像美国一般有一部成文的宪法，但是我们却可以说人类的宪政是开始于英国。所谓宪政，就是指政府的一切行为是以所授予的权力为范围的。美国的宪法其实不过是承继英国的宪政成规加以书面的方式罢了。现在我们所要做的，也不过是在想把这盎格鲁撒克逊人发明的宪政精神移植到中国来。因之，我想英国人民怎样把这权力的老虎降伏在民意的牢笼里的一段故事，是值得我们在这个时候重提一下的。

一个槛外的权力是危险的，他可以为善，也可以为恶。人民没有力量可以保证每一个君王都是爱民如子的父母，是尧舜还是桀纣是运命所决定的。这在中国是如此，在别国也是如此。但是在顺命的中国，人民从来没有想过一个保障自己权利的制度，一定要等暴君充分暴露了他的苛政，才兴兵把他赶跑；赶跑了一个，不久又来了一个，以暴易暴的循环不已。在英国却并不这样。他们想出了一个人为的方法，就是宪政，使君王，不论他本性怎样，没有施行苛政的机会。从英国历史上看，出一个暴君，人民就进一步，剥削一次君王的权力。结果造成了现在统而不治的挂名皇帝。

最初的一步是著名的一二一五年大宪章 *Magna Charta*。那时的国王叫约翰，他是狮心李却的弟弟，昏庸无道，先把应当继承王位的侄子挖去双眼，后来又把他杀死。对内这样残暴，对外又是愚妄。他和法国开战，结果大败，把英国在大陆的领土全给丢了。失败回来不甘心，还想起兵报仇，可是当时英国的贵族，因为约翰王一再侵犯他们的权利，所以拒绝他调兵的命令。而且在主教 Langdon 的领导下，开了一个会议，起草了一个宪章。宪章里这样说：

“除了经过同一阶级的人的合法审判，或是依照本国的普通法，任何自由人民不得加以逮捕，监禁，强占，剥夺法律保障，充军或其他损害。”

约翰王看到这限制他权力的宪章，拒绝签字。可是贵族们组织了军队，把他围在泰晤士河畔的伦内美德。他没有办法只能当众宣誓遵守宪章。一二一五年六月十五日在宪章上加盖了英国的国玺，贵族会议里举出了二十五个代表监视国王，若是他违反宪章就向他宣战。

约翰王宣了誓回家，愈想愈气。据说，“他扑倒在地上，在忿怒中拼命的咬他的手杖和草”。他毫没有遵守宪章的意思。他去哀求教皇，取消他的誓言，和把主教解职。教皇允许了他，可是内战也随着开始了。到了翌年，约翰王却死了，一场争执也告结束。约翰的儿子亨利第三继位。亨利第三并不比他父亲开明，还是不肯遵守宪章。贵族又起兵，有一位能干而且贤良的领袖，名字叫 Simon de Montfort。把亨利第三打败之后，他立刻召集人民代表，每一县或一市派二个议员出席国会。这是英国平民参加政治的第一个重要步骤，时间是在一二六五年。过了三十年，爱德华第一做国王时，国会才成为英国政府的经常制度。这是大宪章的成就。

当我结束了大宪章的故事时，我抽了枝烟，休息了一下。同学中有人很兴奋的说话了："这才有一点像中国的情形，除了咬手杖和打滚。"

"谁说没有？打茶杯还不是一样？"另外一个人笑着说。

"可是我们并不希望这段故事在中国太逼真的重演。一定要逼了宫才签字，多扫脸呢？"

"你该知道要既得利益放弃特权本来是不会太容易的呀！"

在各种按语中，我又说话了："不漂亮的事还在后面。咬手杖比上断头台总聪明些。"

流血的和不流血的革命

我正要继续讲查理第一的故事时，有一位同学发生个问题：

"英国的国会凭什么去限制国王的权力呢？早年的

巴力门是不是有一点像我们的参政会，只是咨询咨询罢了？”

“他们的国会，巴力门，有一个权力是我们参政会所没有的，那就是英国人所坚持的：‘没有投票，没有租税。’换一句话说，不经过巴力门的通过，政府不得征税。这样握住了政府的钱袋。”

“可是国王不遵守这传统怎么办呢？”

“要人家钱，总得要人家拿出来呀！若是政府要征收一项没有经过国会通过的税，人民就可以不给。政府要逮捕他，国会可以出来保护他。”我接着说，“我所要讲关于查理第一的故事就和这个传统有关的。查理第一的父亲是詹姆士第一。他继承女皇伊利沙白的王位，是一个有名的‘最聪明的傻瓜’。人倒并不十分坏，只是脾气大。一六〇四年的时候他发表了一个声明说：国会的权力是他所授予的。原因是他实在讨厌这管他钱袋的机关，想剥削巴力门的权力。可是国会却回答说：他们的权力并不是国王的礼物。他听见了更气，和他的朋友说：‘真奇怪，为什么我的祖先会容许这个讨厌东西存在的，使我想起了就头痛。’谁知道使他头痛的东西竟会要他儿子的头。——”

当我要讲查理第一被拉上断头台的时候，有一位同学说：“费先生，关于查理第一的故事，你不是在《人权·逮捕·提审》一文中讲过了么？我们都已经看过了。（该文即本书第六篇。）人家都说英国的革命是不流血的，可见也不完全是事实，国王头斩去了没有血的么？”

“我怀疑有没有血。有血的也该明白一些，不必和人民作对了。”又有人说。

“好罢，假如大家已经看过我那篇文章，今晚我不必重复了。让我跳过这人权请愿书，一直讲到人权法案罢。这二个重要文献其实是衔接的，相差不过六十一年。查理第一上了断头台，克伦威尔当政，他死了之后，恢复了皇室，是查理第二，继承查理第二的是詹姆士第二。他是个天主教徒，对于宗教特别热心，想用他的权力来排除教外的人，而且他忘了查理第一的遭遇，又重提国王的神权论，认为他只向上帝负责，不向人民负责。他又定下了一条法律，凡是天主教徒就可以不受法定的刑法。他命令所有的牧师都得在教堂里宣读这法律，那时有七个主教拒绝他的命令。他就把他们逮捕，审问。可是所有的人民都同情这七个主教，当他们被宣判无罪开释时，万民欢呼，军队也不是例外。詹姆士第二听到了问他的左右：‘这是什么意思？’左右回答说：‘没有什么，那些士兵因为主教们被开释了觉得高兴。’他一听就知道不对了：‘这还了得，你们还说没有什么？’詹姆士虽则昏庸，但是还知道民心是不可侮的，军心随着一变，他的运命也就完了。”

“这时，国会已派人秘密的把他女儿玛利和女婿威廉从荷兰请了来。他还想抵抗，但是没有兵肯听他的命令。为要避免查理第一的遭遇，他悄悄的渡过海峡，逃到法国去了。”

“被人民所欢迎回来的姑奶奶，签定了人权法案，把国王的权力转移到了国会。玛利和威廉不但承认了提审法的神圣性，而且接受了政府的预算每年都要经过国会通过的法案。再进一步他们使内阁向国会负责。这就是说国王必须任命得到国会多数拥护的政党组阁，若是国会不信任内阁，内阁必须辞职，或是解散国会，但是新选出的国会若依旧不信任内阁，内阁绝不能恋栈。换一句话说，在姑奶奶任内，英国的宪政基础已经确立了。

把詹姆士赶走，完成宪政的经过，在历史上称作一六八八年的革命。这才是一次真正的不流血的革命。”

我讲完了英国制宪的故事又加了一段说：“这人权法案是美国独立宣言的蓝本，那是一七七六年，距人权法案八十七年。美国在革命之前并没有多少人想脱离英国独立的，可是那时的英国却要建立一个集权的帝国。英国的国会有权力决定海外殖民地的一切事务，而在国会中却并没有殖民地的议员。若是英国当时尊重海外领土上人民的权利，美国可能到现在还是大英帝国的一部分。可是他们并不这样。他们通过了租税案要美洲的人民捐纳。‘没有投票，没有租税’的原则是发动独立运动的最有力的理由。结果，大家是知道的，流了血，英美分了家。要统一，团结，必须先承认在统一体内的人民，有平等的权利。”

我讲到这里，时间已经不早，怕电灯熄了，大家不方便，所以就收住了。

“费先生，你看中国人民能不能像英国一般不必流血而完成宪政呢？”

“这问题我不能回答，能回答这问题的不是我们人民，而是握有权力的人。以我个人的希望说，我只能像富兰克林祈求宇宙的创造者。可是上帝决不会顾惜一个愚蠢的人的。在历史教训里人可以得到智慧，在宗教信仰里人可以得到慈悲。让我再说一句，人事并不是注定的，人家走过的冤枉路，我们可以不必再走。智慧和慈悲是幸福的指南。”

五　波茨坦·磨坊·宪法

上完课，和二哥一同回家。家里门开着，望去，小惠正陪一位朋友坐着，一起在看书。一进门，小惠跳出来拉着我说：“爸爸，胡伯伯来找你，妈妈上街了。我在讲故事给胡伯伯听。”

“乖乖的，你在招待客人，能干了。”我拍着小惠的肩膀说，“你跟胡伯伯讲什么故事？”

我让了客人坐，一看桌上正翻开着那本已经破烂的相片簿。这是小惠惟一的故事书。在乡下住，孩子渐渐长大了，她妈忙着家务，没有哄孩子的玩具，就把这本相片簿给她乱翻；空下来依着这些相片编故事给她听。几年来，孩子快五岁半了，她把这些故事也听得烂熟。有客人来，她会搬出来学舌。

“爸爸，我讲那风车的故事。”她一面说，一面指着那张抗战前一年我和二哥一同在德国波茨坦无愁宫后拍的照片。照片的背景是那有名的风车。因为这风车的故事很有一点像童话，所以小惠也最喜欢听，讲起来也最有头脑。

无愁宫后的风车

小惠学舌的风车故事，据说是这样的：

菲德烈大帝七年战争胜利后，要在波茨坦盖个无愁宫。地址勘定在一个高丘上。可是高丘的靠北面却有一个磨坊，这磨坊已经传了几代，一直很顺利，而且风景幽美。磨坊主人是 Graevenitz，他惟一的希望是终老是乡，可是这计划中的无愁宫却偏偏要包括这磨坊的地址。营造的大臣派了差人要磨坊主人搬家。

“我一生的志愿就是要死在这磨坊里。决不搬。”磨坊主人很坚决的回答。

“这是菲德烈大帝的命令。他要盖无愁宫，你怎能违反他的命令？”

“菲德烈大帝可以有这愿望，可是不能有这命令。

因为这磨坊是我的财产，我有法律保护，菲德烈大帝没有权力没收我的财产。幸亏柏林还有个法庭。”

差人有一点窘，换了口气说：“和你买怎样？”

“哈，这还像句话！可是买卖是契约，要双方愿意的。我已经和你说得很明白，我决不离开这地方。我从小在这里长大。”他指着高丘下一带苍翠的森林，天边一抹斜阳，继续说：“这美丽的傍晚，我靠着风车，抽一筒烟，生活多有意思！菲德烈大帝要在这里盖无愁宫，也不是为了爱好这景色？他自然会了解我不肯离开的理由。”

无愁宫盖好了，法律固然保障了磨坊主人的宿愿，非但他可以享受他无愁的晚年，而且多了一个一点也不使人讨厌的皇帝做邻居。

“小惠，你挑这个故事讲给胡伯伯听，倒是顶合式的。胡伯伯写了这许多关于“五五宪草”的文章，下次可以把这段故事写上去了。”我说了句小惠不明白的话。她看见窗外有小朋友在那里玩，一跳一跳的出去了。

“这个风车现在不知毁了没有？不然，在这风车影下开三巨头会议，实在是太够讽刺的了。”胡冈先生又细细的看着这相片，不胜感慨的意思。这时我正忙着张罗烟茶，他接着向二哥说：“我以前也听过这故事，但是没有机会看见这风车。这是最现实的教训了。一个在法律之下的权力所兴起的德国，被那个超越了法律的权力所毁灭了。我觉得菲德烈大帝实在是了不起的人物。二先生，你到过德国很久，觉得怎样？”

“这故事，大概并不是太可靠的，只是一种传说。比较可靠的说法是菲德烈喜欢这风车做点缀，有意把磨坊主人留下的，是一个风趣问题，不是一个法律问题。”二哥划了根火柴点上他得意的福寿卷烟。“菲德烈是一个有风趣的人，这点我倒是很相信的。他也喜欢这种淡巴古，浓而不辣的烟味。”他深深的抽了一口烟，继续说：“我还听德国朋友们讲起过一个关于他的故事。在七年战争中有一次菲德烈得胜回来，举行一个盛会。在宫门口一棵树上，不知那个不得意的艺术家有意捣乱，替菲德烈画了一张奇丑，而又奇像的漫画，很多人围着一面看，一面笑。菲德烈刚巧骑了马经过这地方，也上前来看。很多人担心要出乱子了，谁知道他拍手大笑，说：‘挂得高些，让更多的人可以笑笑。’所以我说这个人一定是很有风趣的。没有风趣的人怎能请得到法国的服尔泰？他在无愁宫里不是足足住了三年？”

我加入了谈话：“我是不喜欢考据的，这风车在人民眼里确是法律尊严的象征，而且这传说也教训了后起的执政者，不要把权力去超越法律。胡冈先生说得很对。让德国人民永远记住：开国的菲德烈和亡国的希特勒有一个最清楚的分别，那就是，一个是把权力放在法律底下，一个是把权力放在法律之上。明白了这个分别就可以治天下了。”

另一个水磨的案件

“这点我自然同意的。我所要说的是：德国并不是因为偶然出了个混世魔王才闹得不可收拾。在他们的历史里，其实早就按下这根苗，那就是说，权力并没有服服贴贴的受制于法律。——”二哥说。

胡先生插口：“你是说风车的故事并不能代表德国早年的事实么？”

“风车故事只是传说，”二哥转向我说，“孝弟，你们人类学里不是有所谓补偿作用的说法么？大凡一种民间流行的传说，多少是一种事实上得不到满足的希望。德国人民和其他地方的人民一般是希望有安安逸逸的生活，怕权力被滥用来侵害人民的权利，所以有这法律不可逾越的要求。德国人民在事实上得不到这满足，也许就是发生这种传说的原因。”

“德国不是常被认为法治的国家么？”胡先生问。

“德国人民是守法的，但是德国的权力却并没有像英国一般被法律所拘束。”二哥回答。

我刚才在念一本 Anspacher 的《自由的故事》，听了这话想起了这本书里的话来了。“不错，原因是在德国出了几个有能力，有眼光的君王，不像英国有那些花天酒地，又愚蠢的约翰王，查理第一和詹姆士第二。你想：在英国亨利第八和伊利沙白时代不也正是争取自由运动的低潮？德国先有菲德烈大帝，这个有本领把诗人们请到无愁宫里去的武夫，一定不是个平凡的人。后来又有个俾斯麦。——”

“你是说开明的专制是不好的么？连昏君都不如？”

胡先生加了这一句按语。

“在当时的人民生活上，有这么一个爸爸式的权力自然不能说是坏，但是眼前的福利很可以使人不感觉到需要一个永久可以保障人民福利的制度——这方面说是不好的。”我发表了意见。

“我也很同意这说法。”二哥说，“菲德烈大帝确是个有风趣和有能力的帝王，可是在尊重法律这一点上，他实在并没有像那传说所描摹的那样开明。另外一个磨坊的故事说明了他的本色。在他任内德国有一个著名的讼案。有一个磨坊主人 Arnold 经常是靠水流推磨的。可是有一天，上流的地主把水拦住了。他告到法庭里。按当时的法律，地主有权利支配经过他地面的水，所以，法官们判决了磨坊主人败诉。这事给菲德烈大帝知道了，认为不公平，把审判这案件的法官们都捉了起来，要他们赔偿磨坊主人的损失。当时的人民都觉得皇恩浩荡，把菲德烈大帝捧到了天上。菲德烈的风趣和机智获得了人民的爱戴。”

“这些法官当然不对，压迫平民，罚得好，痛快，痛快。”我说。

“问题并不在痛快不痛快。法官依法审判，是他们的责任。法律好不好不在法官，而在制法的人。菲德烈要法官赔偿磨坊主人的损失是不对的，他没有承认立法和司法之间的独立责任。”

“这点我是承认的，但是菲德烈不是改变了不公平的法律了么？”我又说。

“慢一点，菲德烈在这里却利用了群众的公平观念，篡夺了立法的大权。他用了权力随意更改法律，把法律放在权力之下了。”

“法律的目的不是在公平么？菲德烈执行了法律的目的。”我还觉得这位包龙图式的伟人是可爱的。

这时胡冈先生说话了：“法律一旦不能拘束权力，换一句话，一个国家没有了宪法，固然并不是说权力所做的事件件皆错，一切都违反人民利益，但是问题是在如果他做出了违反人民利益的事来，除了革命之外，也就没有其他力量可以矫正了。”

“我就不喜欢你们这些学法律和政治的人，总是把人看成坏的。”我说。

“不完全这样，法律不过是使坏人不能作恶。而且进一步说，一个人觉得做坏事不上算时，也容易做好人，是不是？”胡先生这样说，“宪法的目的就在防止权力会违反人民利益。若是不存心要和人民作对的，他也不会怕受宪法的拘束的。”

出了槛的权力是灾难

二哥翻阅着小惠留下的相片簿，想起了几年前在德国的生活，不胜今昔之感：“若是波茨坦风车的传说是真的话，德国也不至有今天这种悲惨的下场了。德国人民并不是不想实现个 Rechtstaat（法治国家），不幸的是在法治的潮流卷到中欧的时候，德国的政权刚在铁血宰相俾斯麦手上。俾斯麦给德国造下的却是个 Polizeistaat（警察国家）。经了上一次大战，魏玛宪法把 Rechtstaat 的理想实现了，可是除了军事学之外不念任何书的兴登堡最先庇护了纳粹党徒造成恐怖，又利用了这恐怖获得了紧急处置权，把魏玛宪法的精神一把捏死，给希特勒专政的机会。权力在法律之上是危险的。菲德烈的风趣和俾斯麦的权谋固然一时缓和了权力的滥用，没有使灾难降到人民身上，但是威廉的愚妄和希特勒的疯狂还是把潜伏的灾难放出了槛。”

“这样说，我们的社会里不是也有灾难潜伏着么？几千年来，我们从没有把权力关在法律之内，我们连风车的传说都没有。”我似乎有所警觉。

“这所以我们现在要求修改‘五五宪草’！”胡冈先生高兴的接口，又拖上了他近来常写文章的题目。

“我是说中国没有风车的传说，和‘五五宪草’有什么相关呢？”我觉得胡冈先生的话太牵强。

“我们说了半天不是在说国家权力不能超过法律之上么？我们并不单指每个人在法律之前是平等的，谁也不能拿法律当工具来放任自己，限制别人——”胡冈先生说到这里，二哥加了一句按语：“像我们的所谓统制。”

“——最重要的是统治者和被治者之间，政府和人民之间，必须有一个契约，说定了治者在什么情形之下可以使用权力。这个契约就是宪法。宪法的目的就在限制执有权力的政府，使他不致超越人民所允许给它的职权。政府在一定的职权内可以颁布命令和创立法律，但是他们绝对不能自己扩大职权，这个契约是不准违反的。菲德烈大帝在第二个磨坊故事中就违反了这契约。他不应当自己下令取消法律，而应当经过一定的立法手续，在获得人民的同意中，去修改一条不好的法律。菲德烈所做的，表面上是迎合了群众的公平观念，但是结果却把人民的基本权利给篡夺了。二先生，你是这个意思么？”胡冈先生结束了他对我的解释。

“是的，是的。”二哥说，“德国法学家，像斯坦姆勒，就特别重视这案子，认为这是德国宪政失败的转捩点。”

我有一点性急：“这套我是明白了，但是你们说了半天，和‘五五宪草’还是风马牛不相及呀！”

“‘五五宪草’根本没有把权力加以限制。一切都是‘以法律定之’，而立法机关却并不向选民负责。最高的权力，大总统，又不实际向民意机关负责，这宪法并不是人民和政府订立的契约，而是政府自己颁布的组织法，名为宪法，但并没有现代的宪法精神。现代宪法精神就是要使政府向人民负责，人民指定有限的权力给政府去行使，要把权力放在法律之下。再说得明白一点，要实现波茨坦无愁宫后风车的故事。”胡冈先生又这样补充了一段。

“一个政府若滥用了权力，人民不是可以革命的么？”我说。

“当然，在美国独立宣言里，不客气的把人民有革命的天职都写上了。但是革命是社会的牺牲，要流血，要混乱。革命的结果也许值得赞扬，革命本身是没有理由可以引起万岁的欢呼的。宪法其实就是避免革命的方法，是人类维护文明和平的重大发明。英国自从一六八八年革命之后，有了人权法案，就没有皇帝上断头台和被赶跑了。你想，若是每个人都能像波茨坦那个磨坊主人一般，向差人说‘对不起，我不想搬家’，都能和无愁宫做邻居的话，谁还会愿意流血和混乱，喊革命万岁呢？”二哥回答了我。

小惠玩了一阵又回家来，拉了我们要接她的妈妈去。胡冈先生告辞时说愿意去翻印一张风车的照片。

“胡伯伯，你可别忘了多印几张，隔壁小毛他们也欢喜听这磨坊老头儿的故事。”

六　人权·逮捕·提审

下了几天雨，今天一朝太阳光射到纸窗时，我不愿再滞留在床上了。我这样早起床，使我的太太也觉得惊异。“幸亏三嫂来帮我们了，不然，你起早了又要把我弄慌了。”

三嫂是我们在呈贡乡下住家时的邻居，我们有事时常找她来帮忙。自从我们搬进了城，几个月来没有见过她，想不到她会在厨房里帮我太太煮稀饭。“她昨晚来的，你回来时，我睡了，没有告诉你。她的命真苦，家里住不下去了，想进城找事。”我太太补充了这些话。

我洗了脸，拉了个竹椅坐在太阳里看刚才送来的报纸。报角上登着一段提审法全文，我随意的看了一半，三嫂端了稀饭走来。

“费先生，你家好。”

“你也好，怎么你也进城了。”我顺口问她。

她把稀饭放下，转身回答我：“命苦的人有什么好事呢？家里住不下了，有什么办法呢？”

命苦的三嫂

“三嫂这样壮健耐苦的人，弄到家破人亡，真是没有天理！”我太太感慨的说。

经过的事情，我知道得很清楚。五年前我们因为城里轰炸，疏散到了呈贡，住在村子里。那时我们就认识三嫂了。她爽直的性格很讨我太太的喜欢。她结婚还不久。丈夫家除了一个年老的公公外还有个十七八岁的小叔。一家四口子租了十几工田，勤勤俭俭做人家，还算过得去。可是在中国做农民，平静的生活是意外的。不幸毫不留情的找到她头上，一家没有势力的佃户怎免得了兵役。三嫂曾来和我们商量，说是她小叔子恐怕会给保长抓去当兵，她公公整天发愁。我们那时只能劝她说，这是国家的大事。她家里有两个壮丁，依法是要被征的，当兵是责任。

三嫂心里转不过来，她知道保长的兄弟家里也有两个十七八岁的侄子，怎么不征？偏要征他的小叔？但是她没有和我辩驳。不久她的预料果真成了事实。在她，小叔子出了门也没有多大关系，除了老人家脾气愈变愈坏外，家里少一个人也省她不少事。

她的小叔子进过小学，还能写几封不太通顺的信。每次来信，三嫂常拿来我这里，让我念给她听。她丈夫是一个粗人。每次信上，却没有一句好话，不是说吃不饱，就说有病没有人医。出外水土不服，身体又时常不好。过了一年，信也就没有了。她公公说这儿子一定不中用了。“死也得有个信呀！”他总是这样说。

这样又过了一年。有一天突然有两个穿军服的人到他们家里，把她的丈夫抓进了县政府。三嫂吓得直发抖。我恰巧在路上遇见她直了眼睛说：“完了，完了。”我就带了她到县政府打听，说是她的小叔逃跑了，军队派人向县政府要人，所以把她丈夫抓了进去。我还安慰三嫂说这没有她丈夫的事，县政府不过问问他话，只要证明她小叔没有回家，这事不是清楚了么？三嫂相信我，回了家。

事情却并不像我想像的那么简单。过了一天，她丈夫并不见回来，只是托人带了个信，要三嫂送饭上监狱去。我那时正有事进城，一住就一个多星期。回家的时候，我太太和我说：三嫂关到监狱去了。

“这可怪了，她犯了什么罪呢？我真是不懂了。”

“你不懂的还多哩。”我太太苦笑了，“三嫂的丈夫却出来了，曾来问我，说他家有两工菜园子要出卖，我们要不要。”

“我们那里有钱来买菜园子？”我也觉得好笑。三嫂的丈夫是个粗人，我一想，这可怪了：“他等钱使么？”

“是了，县政府里放他出来，让三嫂去替他，就为了这个。要钱。”

“可是，他们犯了什么罪呢？她小叔子逃了役，是她小叔的罪，怎么要三嫂坐到监狱里去？要罚款，也罚不到三嫂的丈夫！”

“我就说你是个书呆子，一点也不错。这也不是罚款，说是军队里要制服费。这还是讲了面子。我为了这事，去和保长讲了一番道理。不然，谁知道要多少钱，方弄得出人来。孝通，你也不必管这闲事了。保长这样说的。他会去想办法，不太严办就是了。”

保长的话是不错的。三嫂过了有十多天，也出狱了，可是她回来时，菜园子，她的一些值钱的东西都完了。三嫂到我家里哭了一场。她说这都是她的命不好。她的命是真不好。跟着孩子死了，丈夫病了一场，公公残废了，她一个人工作，小产了一次。我在乡下，过不了多少时候必然会听到一件关于三嫂不幸的事。丈夫抽上了大烟，家里更不成了样子。这一切都是三嫂命硬，丈夫天天寻事，打她，踢她，有一次踢伤了腰部，几天站不起床。三嫂在我都成了一个不祥的象征，一见到她，一想到她，我没有法子觉得中国还有希望。

盎格鲁萨克逊人的贡献

三嫂虽则又回了厨房里去了，可是我朝上给阳光所引起的一点兴致却不知消失到那里去了。我望着碗里的稀饭，没有一丝胃口。在我书桌上翻开着一本 Charles A. Beard 的 *The Republic*。在一二六页上有这样一段话引起了我的注意：

“一年多之前，从欧洲法西斯蒂魔手里逃出来的两个朋友，在我家里闲谈，问我说：‘那些死样怪气的盎格鲁萨克逊民族对于文化究竟有过什么贡献？’我立刻接口说，盎格鲁萨克逊民族至少曾经创始了提审法 *Habeas Corpus*。因为这两位是念文学的，所以我得把这名词解释一遍。他们听了之后，也认为这应该承认是盎格鲁萨克逊民族的重要贡献。”

我刚想继续看下去时，我太太从厨房里端了我喜欢吃的咸菜出来，看见我搁了筷子在看书，就说：“孝通，我最不高兴你这脾气了，吃饭就吃饭，看什么书。”

我抬起头来：“不要说话，今天让我破一次例罢，为了三嫂。”

“这书上有三嫂么？”

她坐了下来：“吃了稀饭再说好了，我也正要和你商量，怎样帮帮三嫂的忙。”

“三嫂的命运就害在人权没有保障上，我觉得 Beard 这章很重要，前天我没有看完，今天报上又公布了提审法，让我看完了这段书再说话好不好？”

“我就不相信你们这一套。人权保障？中国还早哩，我们这种社会里要靠面子，靠地位，靠权力。没有这些有什么保障？蒋主席的诺言说得多好听，现在什么样？空口说保障人权有什么用？还有那些人组织什么人权保障会，更是做戏给谁看？像三嫂一样的人不是满处都是？”

我把书搁在一边：“是呀？我就在想这问题，人权不能用口头来保障的。蒋主席尽管真心真意的要保障老百姓的身体自由，可是天高皇帝远，有人把你抓去了，找不到主席来伸怨，有什么用呢？”

“我不是也这样说么？”我太太开始吃她的稀饭。

“所以要有提审法。提审法不能实行，人权是得不到保障的。”

“你说了半天提审法，究竟是什么一回事呢？”

“提审法是英国人想出来的，说起来又有一段相当长的历史。你爱听的话，我说下去。”

“好罢，你说罢。”

于是我开始说了：“在一六二八年的时候，英国的国会通过了一个法案叫 *Petition of Right*。这法案保证英国政府不经过国会同意不能向人民征税；不经过法律手续不能逮捕或处死任何人。这时的英国国王叫查理第一，他很会使钱，钱愈使愈不够，弄得没有办法时，他不顾法案，没有得到国会的同意，恢复一种旧有的船税。这时有一个名字叫 Hampden 的乡绅，却偏不肯纳这十二先令的税，因为这是不合法的。他被告到法院里，判决他败诉，可是全国的民意都支持他。国会和国王从此发生裂痕。国王屡次解散国会，可是国会总是不肯批准他要钱的法案。结果国王和国会间武装冲突了。查理第一上了断头台。克伦威尔摄政，到一六六〇年才由查理第二接了王位。王位是恢复了，可是从此英国人民更不放心让国王去独执政权了，从此英国国王也不敢和国会去争执了。为了要实现 *Petition of Right* 里面的保障人权的条文，于是在一六七九年国会里又通过了提审法案。”

我太太放下饭碗，很不耐烦的说：“你还是没有告诉我提审法案是什么。”

对专制的一个革命

我随手把今天的报纸递给我太太：“这里是今年三

月十五日起施行的提审法。大体上也就是一六七九年英国创造出来的对于人类文明的大贡献。这法律施行后，譬如说今天罢，我吃了稀饭，突然有人到家里来抓我，被抓的时候你就可以向抓我的人要一张书面的凭据，它说明抓我的原因，那一个机关来抓我的。你拿了这书面的文件，就可以到昆明地方法院去声请提审。若是法院认为没有理由抓我的，他就可以要那抓我的机关在二十四小时以内释放我。若有理由的，也得在二十四小时以内把我解到法院里。到了法院，我就可以得到公开审判的机会了。”

“不要我、我、我的，我听了就不舒服。这年头，还得取个吉利要紧，谁保得定，尤其是你们那些姓费的。你说了半天抓人，和保障人权有什么关系呢？这提审法能保得住没有人非法来抓你么？”我太太摇了摇头表示还是怀疑。

“提审法并不能禁绝非法逮捕人。保障人权的是法律，提审法不过是保障任何人被抓之后，一定能碰得着法律，可以向法律要求保障他的权利。你要知道和法律碰头是不容易的，譬如说三嫂的丈夫，他在监狱里住了十多天，三嫂自己又在监狱里住了十多天，他们夫妇两个，受了苦，卖了地，弄得破产不和，家败人亡，可是始终没有和法律碰头，他们是冤枉的。因为按法律，他没有替他弟弟受罪的理由，他得不到法律的保障，那是因为县政府把他拘禁了，在法律之外敲诈他，若是他有权利要求法庭审判，法官找不到定他罪、罚他款的法律条文，就得放他出来。他一个钱都不必费。”

“你这样说，这县政府有一点像上海的绑票匪了。”

“是的，可是绑票匪还有巡捕房去对付他。一个有权力的政府，尤其是有权逮捕人的机关，若用了他的权力来绑票时，人民有什么办法呢？提审法就是用来对付滥用权力的官吏。”

“你这样说来，一个冤枉的人至多吃二十四小时的拘禁之苦了。二十四小时之后，他就可以得到法律的保障。那自然是好的。可是假若逮捕机关不放这人呢？”

“你看提审法的最后一条，逮捕机关的负责人就得坐二年以上的牢。”

“抓人的不肯说出他是那个机关里派来的呢？”

“你可以叫警察。没有机关负责的人滥抓人，那是绑匪，警察有保护的责任。若是警察不管，警察自己就负了这责任。”

“这样说来，天下就没有特务了。”

“是的，提审法的确在法律上取消了特务制度，换一句话，它把特务归入了绑匪。绑匪和政府混在一起的现象至少在法律上是不存在了。”

我把手边那本书拿了过来：“你听我念一句 Beard 的话。他说：‘若是提审法应用到了任何现代的专制国家，若是法官能有独立行使的司法权，这提审法单独就是专制制度的一个革命。’Beard 的意思是如果一个政府不能在法律之外去损害人民的自由，这政府也绝不能成为一个专制的政府了。”

我还想念下去的时候，我太太打断了我：“好了，稀饭都凉了。你吃完了再说罢。我怎么不希望中国少一些像三嫂一般苦命的人？可是，我还是不太相信你们这些书呆子。把法律当真的看成了一回事。你看，假如英国有了 *Petition of Right* 而没有 Hampden ；有了 Hampden 而没有克伦威尔，不是还是不会有今天的英国？”

我点了点头，没有话。三嫂在院子里打扫，我望着她后影默默地翻转了手边的书，我还是没有胃口吃碟子里的咸菜。

七　特务·暴力·法律

暴力之下无法律

胡冈先生又来找我们谈话，因为他看过我那篇关于提审法的文章，觉得有些问题要讨论。不知是否他有意要恭维我的太太，所以他在她面前说：“我觉得女性的判断常常是比较切近于事实，不容易像我们那样，太迁就逻辑的推论，结果会变得很迂阔。”

我一听，就知道他这番话是对我那篇文章的最后一段而说的。我说若是提审法能切实执行，在法律上把特务归入了绑匪。我这样说曾引起了我的太太的反应，认为我们这种书呆子，太把法律认真了。这个反应确是如胡冈先生所说“切近于事实”的。特务组织合法不合法，对被逮捕和拘禁的人是没有多大关系的。要求身体自由的，就在要没有人非法逮捕他。若是有人逮捕了他，不论逮捕他的人是正式政府机关所派出来的，或是政府所默许的，或是政府所没有能力去制裁的，他失去身体自由还不是一样？事实上，一个社会上每一个人随时可以被别人逮捕是一件可虑的事。这点我自然承认。但是我总觉得特务和绑匪是有很大的差别，所以我反问胡冈先生说："你的意思是说提审法是没有意义的么？"

"不，我并不说没有意义。可是你在那篇文章中似乎是说有了提审法就可以没有特务，这一点我却有些疑问。费太太叫你书呆子，我觉得是有理由的。"胡冈先生这样回答我。

"自然，我这样说是假定一个政府本身是不能做非法的事的。特务在提审法之下成了非法，所以政府就不能维持这种组织了。而且，我也认为政府的职务是在维持法律，所以它和绑匪是不能两立的。他的职务里就包含着剿灭绑匪的责任，所以提审法也决定了政府本身必须取消特务组织。我想我这种推论是合乎逻辑的。"我说着觉得自己似乎很有理由。

我太太在旁，得到了胡冈先生的鼓励，就插口说：

“事实上，你所假定的政府，并不存在！”

“这是另一问题。”我想把这一反驳撇开。

“不，并不是另一问题。”胡冈先生很坚决的说，“我并不是反对你那种学究式的推论，而是要说明：法律并不能和社会情态隔绝了独自成立的。换一句话说，你的推论并没有错，但是如果假定不存在，你的推论尽管正确，也没有实际意义了。”

“你的意思是得先考虑这假定，是不是？”

“是的，”胡冈先生又说了，“法律要能实现它的效力，那就是说，人民可以得到法律的保障，先得取消和法律相反的一种东西，那就是暴力。暴力一旦存在，法律是虚设的。”他顿了一顿，“你在那篇文章里说，人和法律见面是不容易的，原因是暴力可以把人和法律隔开。我想说的是即使人和法律见面了，若是暴力还是存在的话，人和法律见了面，还是一样，法律没有法子来保障人。”

我太太听我们又是抽象地在名词里翻跟斗，有一点不耐烦：“胡先生，你若是说女性的判断切近事实，那是因为我们喜欢就事论事。你能不能举个事实，使我比较容易领会你的意思？”

“好罢，我讲一段我初次在上海做律师时所碰到过的一个案子罢。”

下面是胡冈先生所讲的一个实在的案子：

一个失败的林肯

这是一九二七年之后不久的事。那时的上海，已经陷入恐怖的漩涡里。我是个刚挂牌的小律师，离开学校还没有多少时候，还充满着要为正义，为公平奋斗的志愿。念法律，做律师，不就是为了这个目的？上海的律师差不多全是商业性的。我受不了。一天早上，有一个老太太到我写字间里来，穿得很朴素，一见我，两眼流泪，呜咽起来，话都说不清。我等着她说话，半天才把她委屈的事弄清楚。她有个女儿在小学校里教书，在上一天的晚上，突然有巡捕来把她的女儿和其他两个男同事抓了去，说他们是共产党，有人告发。这一点，据这位太太说，完全是冤枉的。依当时上海租界的办法，凡是由租界巡捕抓去的政治犯，在移交中国政府之前，要在特区法庭开审一次。被告可以请律师辩护。但是这只是一项不重要的手续，因为从来就没有普通律师肯出庭辩护这种案子，也从来没有因辩护而释放过一个被抓去的人。而且，大家知道，一移交到中国政府，也就没有了生路；无所谓冤枉不冤枉，总是一个死字。这位老太太已经去求过不少有名的律师，都碰了壁，所以到了我的写字间里来。

我立刻就接受了这案子。那天晚上，睡不着，感情很激动，尤其是因为有两位相熟的同事来劝我，问我是否还想在上海继续执行律务？若是还想这样的话，最好把这案子退了。他们说，那不是好玩的。他们很善意的警告我："这是上海，这是中国呀！"我有一点好奇心，很想看看究竟会怎样。我那时想起了林肯的故事，难道中国连一个林肯都出不出么？所以第二天我准备了一下就出庭了。

我记得林肯曾经辩护过一个案子，控诉的原告无意中说发生事端的时候，天上正有月亮。美国是用阳历的，所以不容易推算那一天有没有月亮。林肯把日历细细一查，原告所说的那天恰巧并没有月亮。所以他把这事实指出了，证明这是诬告。我用了同样的方法盘问那个御用的证人。据他说曾经在小学校里和被告一同开过会，而且开过好几次。我要他画一个图，说明这学校内部的情形，和开会的房间。我又要去这学校抓人的巡捕同样画了一个图。然后把这两个完全不合的图呈给法官："除了人证之外，并没有其他可以证明被告是共产党，可是这多次在学校里开过会的证人所画的图，和巡捕所画的完全不合，可以证明这是诬告了。"

我当时自然十分得意，可是法庭的四周却全是凶恶的眼光。那几个预备来提取这三个犯人的武装同志，故意的高声问："那个家伙是什么东西？"而且拍着手枪向我示意。

"证据是证据！"我倚持着人间的公道。

法官显然很窘。他从来没有遇到过和他为难的律师。他犹豫了一时，判决了：把女的开释，男的移交。他的理由是"有嫌疑"。我当即提出抗辩："若是我刚才提出的证据充足的话，有什么理由可以把两个男的被告移交呢？"可是，这是判决。我很懊伤的出来。一个失败了的林肯！

回来之后，我熟悉的同事又来和我说了："你不怕死，不要命，可是法官却不像你！你真把那法官弄慌了。说不定因为他开释了那个女的，还会有问题。在租界里也许比较好一些，租界之外，你们两个都完了！我看你还是避避风罢。"我那时正有个大学来要我去教书。失败了的林肯也就结束了这短期的律师生涯。

主奴和契约

我太太点了点头："还是教教书罢，上海律师本来不是你这种人干的。要有林肯先得有个美国呀！我觉得可羡的倒不是美国有林肯，而是林肯有美国。"

"可是，胡公，你把律师招牌取下了，并没有解决这个问题。我看你是相当矛盾的。法律既然是虚设的，你还在学校里教法律，不是买空卖空么？"我把胡冈先生那段故事里所引起的愤恨，转向他发泄了。

我太太抢着替客人回答我："等着，无法无天的日子怎么会永久？总有一天法律是会有用的。"

"那么，他是只保险箱了。"我得意的笑了。可是这自然不是用幽默来逃避现实的时候，我改了沉重的声调向胡冈先生说：“你刚才似乎同意我太太，要我不要把法律看得太认真了。你的意思是在暴力之下无法律。可是，我倒要反问你：法律的用处不是在控制暴力么？依你现在说来又似乎是先得控制了暴力，法律才能发生作用。我问你，什么东西控制得了暴力？”

胡冈先生呆了一下，一时说不上口，我太太为了要打破这静默，说了：“这些家伙讲理是讲不通的，秀才碰着兵，有理说不清。我看只有以力对力。”

“力上加一层力，以暴易暴，法律在那里呢？我总觉得逻辑上说不过去。”我摇着头。

“是的，这是个问题。你读完令兄的《从法律之外到法律之内》不也提起过怎么‘到’法么？现在还是这问题。法律在暴力之下无能为用，而只有法律才能制裁暴力。这样说来似乎是鸡生蛋，蛋生鸡一类的问题了。其实，我是不承认法律本身有什么力量的，单靠法律的空架子，无论如何不能把社会从法律之外拖到法律之内。我说拖字，就包含了要有人用力来把法律抬出来。这和费太太的意思并不远，只是把社会拖入法律之内的力，性质上和暴力是不同的。”胡冈先生这样开始他的宏论。

他继续说：“暴力就是指轶出于法律之外而以强弱来取决权利得失的方式。战争是暴力的充分表现。它所造成的秩序是征服者和被征服者的关系，是主奴的关系。征服者可以支配被征服者，他可以发施命令，规定奴隶的行为，但是被征服者的顺从只是因为力屈。他们并不发生道德上的责任。你若把这种命令也视作法律，这种法律的支持者是统治者的暴力。当然，我个人是不承认这是法律的。我所谓的法律是为了人群共同依赖的生活而发生的。这是所参加者之间的契约；共同遵守了这契约大家才能安居乐业。维持这种契约的力量其实就是每个参加者的生活本身。这是一种社会制裁力，和谋一部分人利益的暴力不相同。”

我太太眼睛望着窗外，说：“我可以明白你所谓暴力是什么，一二·一的手榴弹是暴力，特务是暴力，拍着手枪在法庭上向你示威的是暴力；但是我不明白你所谓那种社会制裁力。”

“胡公，”我说了，“你的困难是在这里：在一个实际社会上所有的法律并不全是第一种的或全是第二种的。因之，你的分类还不过是一个概念上的界说。而且那种社会制裁力表现时也不易和暴力在形式上有极清楚的区别。正好像我们有时要打孩子，并没有觉得太不对，可是换一个对象，假如是个丫头罢，就可以说是暴力了。"

"不错，"胡冈先生说，"我们并不能在力所表现的形式上来区别暴力和社会制裁力，只能说前者是发生在主奴之间，后者是发生在公民之间。"

"你们愈说愈使我糊涂了，"我太太说，"譬如我们捉住一个小偷，打他一顿，算是暴力么？"

"你为什么打他？"我抢着问。

"教训教训他，使他下次不敢再偷东西；同时也让别人看看，偷东西，捉住了不是好玩的，少几个贼。"

"若是这样，我不太反对你打他。可是如果只许你自己偷，不许别人偷；别人偷就得挨打，你偷了不准别人打你；那就是暴力了。"

"你说说就这样赖人家，我并不想做贼呀！闲话少说，你的意思是：一个真正的法律是拘束全体人民的，不准有例外的，是不是？”我太太问胡冈先生。

胡冈先生迟疑了一下说：“大体上是不错，可不能这样说死了，例外是有的，但是不能有人的例外，只有事的例外。统治者和被治者之间本是一种契约关系，所以在非暴力的社会中，法律必须是拘束全体的。”胡冈先生说。

我又有一点心急，所以插口了：“胡公，暂时假定我们已经明白了暴力和社会制裁力的区别罢，我们还得回过来说一说，怎样去对付暴力？”

“我的意思是一定要使主奴关系变成契约关系。若是不变，主奴之间相对的力量失去平衡时，可以翻了个身，主奴可以易了位；如果关系的性质并没有变动，依旧谈不到法律。从主奴关系变到契约关系的过程在历史上大概不止一条。譬如说，本来做奴隶的，翻身时把本来做主人的杀完了或是赶跑了，在他们自己人中立下契约关系来；也可以把本来做主人的看成自己人，给他们公民的平等权利，共同守一个社会契约；或者本来做主人的自动的放弃他们的地位，承认奴隶的平等身分。……大概没有一定的方式。”胡冈先生回答了这个问题。

“孝通，你所写的英美两个制宪故事，不就是胡先生所说那两种不同的方式么？”我太太说。

“是的，你这样一说，胡冈先生的所谓由主奴关系变成契约关系就是制宪过程了。又回到了他的老题目了。”我说。

“且慢，”我太太接住我的话说，“宪法可以控制暴力似乎还说得过去，但是有了宪法就没有特务，我就想不通了。”

“我并不是说一纸宪法可以和姜太公的符一般贴在门上，特务就进不了门。我是说造成宪法的这股力量是和暴力相抵触的，它若胜不过暴力，宪法也不会产生。若胜得过，就可以使握有权力的集团不能在法外发施他们的力量来谋取自己的利益。你不要把特务看得太可怕。假如人民控制了政权，本来当奴隶的翻了身做了主人，他们可以决定政府的预算，试问政府那里来钱养这些特务？暴力何从发生？即使还有少数人或是少数团体想在法外用暴力来谋取利益，那就成了绑匪了。绑匪是有警察可以对付的。”胡冈先生说到这里，我高兴的说了：“这还不是我在上一篇论提审法里所说的话？”

“是呀！”胡冈先生说，“我并不说你的话不合，只是说法律要发生效力必须有一个前提，就是没有法外的暴力占据住政府。统治者必须站在法律之内统治人民，而法律的废立是人民的权利。那时候，我们才能希望一个有公平的社会。”

“这一点，我们是大家同意的，而且希望早一点实现。”我太太结束了这一番讨论。

八　住宅·警管·送灶

孩子所提出的难题

昆明的气候是最体贴人的，尽管白天太阳怎样毒，一到晚上，微风从滇池里吹来，凉爽入骨。尤其是因为我可能快要离开这第二故乡，近来更舍不得这里初夏的黄昏。有人抱怨昆明永远不给人痛快的出一身汗，那确是事实。汗出得少，在小脚桶里洗澡也成了我能推却就推却的事了。今天却是例外。洗完澡，特别舒适，懒得穿着，披了件睡衣，靠了后窗看小说。太太出门作客未归，小惠伴着我在剪纸花。相当幽闲的一个黄昏。

靠近八点钟的时候，门上剥剥的打了两声。小惠以为是妈回来了，赶紧要去开门，可是门外传来了个女客的声音。我急忙拉住小惠，一面接口应着："请等一等，就来。”小惠遗传着我性急的毛病，向我瞪着眼：“怎么不开门，有客。”

“我得穿件衣服。”说着我进房里去了。转身出来开门时，一看正是刚从上海来的表妹，小惠盼望已久的远客。我忙着道歉：“对不起，等久了。”小惠在旁不满意我慢客的行为，撅起了小嘴说：“云阿姨，爹爹不许我开门，要你等。”

云阿姨笑了：“好利害的孩子，管起爸爸来了。”我们坐下了。我拉着小惠向她解释说：“这是规矩，你到了人家门口，要打打门，等门里有人让你，才能进去。你想，云阿姨进来，我衣服都没有穿好，多不好意思呢？”

“如果你已经穿好了衣服呢？”

“我也许还有别的事，不方便见客人，我也可以不开门。”

“你没有别的事呢？”

“若是我不愿见的人打门，我也可以不开。”

“为什么呢？”

对付五六岁的孩子真比大学生还困难。我不知在那本儿童教育的书里看来了一个原则：孩子有一个时期专好问问题，做父母的不应当禁止他们。我想遵守这原则，可是今天又碰到不容易，或甚至无法回答的难题。幸亏云阿姨接了口：“这是你的家，别人不能随便进来的。”

“为什么不能呢？”

“我们得尊重人家，好像我们不能随意打人一样。”云阿姨在说时，我却在担心，若是小惠再问下去，为什么要尊重人？叫我怎么回答呢？中国有多少人能回答这问题呢？正在这时，门又响了，这会是妈回来了。小惠抛开我的手，奔去开门。二哥也一起来了。好久不见的亲戚聚会，自有一番热闹。

一会，我们问起了上海的一般情形。云妹说：“上海？住不得了，要实行什么警管制了。据说从六月一号起，警察可以随意到人家里来访问，检查，抓人。大概从此大家不许关门了。我真不明白，我们什么时候被什么人征服了。”

“警察来打门，我们不开门就是了。爸爸不是说不愿意见的人，可以不让他进来么？”小惠耳朵快，不知怎么还没有忘记刚才的话，居然给她搭上了，“警察不是也要尊重别人的么？妈妈不是和我说过警察是保护我们的么？人家打我，我不是可以找警察的么？——”不禁止孩子们的问题是麻烦的，我们显然还没有到什么都能向孩子解释的时代。我若说警察可以滥抓人，敲诈人，不守法，叫孩子们怎会懂呢？懂了又有什么好处呢？她妈一听见小惠说话，却想到了孩子该睡觉的事，所以拍着她说："今天你可睡迟了，赶紧去罢。一觉醒来，警察也不来管闲事了。"

小惠是被哄到床上去了，可是我们大家却感觉到不大愉快。

俾斯麦没有这样愚蠢

"究竟警管制是算什么一回事？人家说这是德国纳粹的办法。你到过德国的，告诉我，这是真的么？"云妹问二哥。

"不完全是。来源大概是德国，比纳粹还得早一些。这一套东西是从俾斯麦起，传到日本，现在好像要到我们中国来了。"

"是了，"云妹说，"孝通哥，你那篇《波茨坦……》

的文章里不是说起德国是个 Polizeistaat（警察国家）么？你以后写文章得小心一点，说到曹操，曹操就到。还是少提一些可怕的名词罢。”

“不是文字的魔力，而是历史的逻辑！”我笑了，“二哥，你还是说下去罢。”

“德国在一八七一年威廉王颁布了一个宪法。依这个宪法设了个国会，可是这国会是骗人的。上院是由各邦诸侯的代表组成，控制在普鲁士的威廉王手里。下院和我们参政会很相同，是个咨询和喝彩机关。首相不向下院负责，直接由国王任命。通过上院，国王可以任意创立法律。他就用这立法权立了违警法，把很大的权力交给了警察。违警法的范围极大。”

“违警法是什么东西呢？”

“普通违反法律的行为是要经法庭审判的，可是在违警法范围之内的就可以直接由警察处置。在德国违警法里甚至可以包括：买香烟时一定要同时买一包洋火，若不这样，警察就可以来干涉和处罚。据说在那个时候，若是有人在窗槛上晒块手帕，警察就可以来处罚，那是违反了在公众面前不准晒衣服的警察法规。

有本书上曾说过：‘若是警察先生高兴时，就可以到你花园里来散一下步。’这是‘警察国家’这个字的来源。”二哥说。

“这还不就是上海要实行的警管制么？”云妹说。

“不完全是，”二哥继续说，“警察要到你花园里来散步，‘随意’得有个条件。那就是必须找到这花园里有违反警察法规的事。假如你不在窗口晒手帕，警察也就不能随意来麻烦你。这是说，警察只在法律范围里散步，法律范围的大小是得政府颁布的。上海所实行的警管制却不然。”

我听到这里，记起了几天前读到胡冈先生的《暴戾愚蠢的警管制》里所提到的俾斯麦的故事，所以接口说：“俾斯麦拒绝威廉第二进他的门时不是曾说过‘住宅是我的人格的堡垒，虽皇帝之尊，亦不能任意侵入’这句话么？德国警察自然不会比皇帝更尊贵罢？”

“这故事我也听到过，德国人很喜欢讲这故事。这也说明了德国的警察没有借口不能登门，虽则借口是并不太难找的，可是我还得替俾斯麦说句话。他虽则极力提高政府的权力，但是他并不用这权力处处去和人民作对。他是以爸爸自居，要为人民做事，所以他所训练出来的警察没有腐败到做出敲诈为恶的事来。警察的纪律是极好的。”二哥说。

“是的，”我说，“俾斯麦是个聪明人。他明白政府权力不能维持在人民反抗之上的。他要避免劳工的反抗，所以他先用政府的权力创立社会保险法。我也相信俾斯麦决不会愚蠢到派出一批作威作福的爪牙，无事无端到每家花园里去散步，得罪人民的。得罪了人民有什么好处呢？在人家花园里散步又有什么趣味呢，除了能敲诈一笔钱？”

“所以我说法律上和精神上，上海的警管制是青出于蓝了。”二哥又说。

“这样说来，这倒是我们政府的创作了。”云妹说。

“那倒也不见得。日本从德国学来了警察制。日本人摹仿本领是不差的，学得很有程度。后来他们用这制度来统治朝鲜和台湾，情形也就不同了。我并不是说德国和日本在本国的警察制度是好的。警察是统治者的工具，只是统治者和人民还不完全站在仇敌的地位，所以这工具的面目也和善一些。一到殖民地里，面目也就暴露得更狞狰了，警察也成了一个个小皇帝，他是直接的统治者，是看守奴隶的狼狗。我们现在想实行的却是这一套，是日本殖民地所用的警管制。”

“可是我们并不是奴隶，没有亡国啊！”云妹说。

“这我可没有法子回答你了。”

希特勒所不敢做的

“你说这是日本人统治亡了国的朝鲜人和台湾人的玩意儿，可是纳粹不也是用同样方法来统治他自己的国民么？”我反驳二哥。

“希特勒并没有这样做。”二哥说。

“你不是替希特勒辩护么？”

“没有这意思。希特勒固然恶，但是他的愚蠢还有个限度。德国的魏玛宪法把‘警察国家’改变成了‘法治国家’。这并不是说把警察取消了，而是把决定警察权的力量交回了人民。警察既然只能在法律范围之下活动，人民在国会里控制了立法权也就控制了警察。希特勒上台，名义上并没有改变宪法，他也并没有公开的用警察来实施他的统治，而是在警察之外另立特务组织。特务组织是在法律之外的，他可以秘密运用，警察是在法律之内的，一定要颁布了违警法才能用警察来执行。特务是用来对付特定的敌人，而警察是用来对付一般人民的。我说希特勒不太愚，因为他知道和全体人民为敌是不可能的。他另外用哥培尔来补充希姆莱的不足。”

“你讲得太远了，”云妹打断这片话，“我要知道的是在希特勒治下，警察是不是能随意到人家里来的？”

“不，没有这种事。除了奴隶和被征服者之外，不论专制或民主，这一点最低限度的个人的人格总是得尊重的，因为这是人和人持久相处所必需的条件。否认这条件的社会组织决不能持久的。”二哥说。

“可是，我们中国怎能这样做呢？”

“那我又没有法子回答了。目前有很多事是不能理解的。譬如说，中国法律上明明规定着人民的住所非依法律不得侵入，搜索或封锢；约法上也明明规定凡是有关人民权利的事宜必须以法律规定，不能以命令规定；而现在却偏偏由行政院命令来实行警管制了。这是违法的命令，而居然出现。这真是史无前例，中外罕见的做法。叫人有什么话可说？”二哥很颓丧的结束了这段话。

“学法律的到这里也就只有叹气了，”云妹说，“人家有权力要这样干有什么不可以呢？上海人反对，可是反对有什么用？”

“俾斯麦，希特勒所不敢做的事，居然做了。若是做得通，也可以说是我们东方人的本领高了。”二哥还在叹气。

“你忘了一个更重要的事实，”我以社会学家的身分说了，“人是能，而且也常常会自杀的。我们没有看见过猫在自杀，可是人就有这本领。日本好端端切了腹，纳粹也自焚了。想自杀的人会做出所谓不能理解的事来，因为你所谓理解是以生存为前提的。”

云妹也兴奋了起来：“马歇尔不也是说过？日本已自杀了，中国在用另一方法自杀么？可是，我可不愿死啊，我还有孩子要我照顾啊！”

送灶的传说

我们谈着话，却忘了隔壁房里的孩子，被我们闹得不肯入睡。做母亲的没有法子，只能出来说话了。“小惠不肯睡，要爸爸去讲个故事。”

我进房，拍着小惠：

“讲什么故事呢？”

“你前天讲了端午节的故事，不是说今天要讲送灶了么？”

“是的。你好好听，我讲完，你可一定要睡了。”于是我讲送灶的故事了：

我们乡下，十二月二十四日那天送灶。送灶是送灶君菩萨上天。灶君菩萨喜欢吃糯米团子，所以那天每家都得做一大堆糯米团子送他。这里有个传说：说是在古时候，北方有一种极凶恶的人，骑了马来打我们这地方。我们这地方都是些种田的，没有马，跑不快，所以打不过他们。他们把我们的祖宗征服了之后，这许多只会骑马杀人的兵，既不会种田，又不会织布，天天向他们的皇帝要饭吃。皇帝问大臣：怎么办？大臣想出了个办法，说这批种田的人会造反，靠不住，最好派兵住在他们家里。每家得供养一个兵，当他是小皇帝一般尊敬他。这样种田人不会造反了，这些兵的给养也不必皇上分心了。这样就把事情决定了，每家住了一个兵。

兵骑在马上还像个英雄，一住到人家的家里去却一点没有英雄样子了。他们无法无天，要吃要喝，见了猪就宰猪，见了鸡就杀鸡，一天到晚的闹。没有一个人能安心生活，同时又避不过他们的眼。种田的人实在忍无可忍了。可是这些兵有枪有刀，一不对头就把人家的头砍了。种田的人打不过他们。最后，有个聪明人想出一个办法。每家在快过年时，假装好意要慰劳住在家里的监督，约定在二十四日晚上，大家用糯米做成团子，给他们吃。糯米是黏得很的东西，当他们一口咬上团子时，这黏性的糯米就把他们的牙黏住了。大家各自在家里动手，把这要喊也喊不出的钦差活活杀死，一点声音也没有。

为了要纪念这件事，所以在灶上供一个灶君，每年十二月二十四日都要做糯米团子给灶君吃了，送他上天。

我讲到这里，小惠眼睛闭上了，好像是睡了。我想走时，她却又睁开半个眼睛："这个故事不好听。我会做怕梦。”

“下次再讲个好听的罢，睡罢。这是古时候的事情，那时的人都愚蠢，现在不会有这种事了。”我不能不在孩子面前撒谎了。可是，人间的愚蠢什么时候会完呢？

三联经典文库第二辑简目

《游击战教程》　明凡 / 著

《游击战术纲要》　陶剑青 / 编著

《汪精卫卖国的理论与实践》　钱俊瑞 / 著

《抗战以来》　韬奋 / 著

《陕行纪实》　楚云 / 著

《随军散记》　沙汀 / 著

《被日寇囚系半载记》　王研石 / 著

《倭营历险记》　房沧浪 / 著

《活跃的新西北》　田影 / 编著

《保卫华北的游击战》　刘清扬　陈北鸥等 / 著

《徐州突围》　《徐州突围》编委会 / 编

《沦亡的平津》　长江　小方等 / 著

《淞沪火线上》　胡兰畦等 / 著

《瞻回东战场》　长江　罗平 / 著

《东线的撤退》　胡兰畦等 / 著

《抗战中的西北》　徐盈 / 著

《鲁闽风云》　徐盈等 / 著

《西线生活》　西北战地服务团集体创作

《中国解放区见闻》 ［美］福尔曼著 / 朱进译

《全面抗战论》 潘汉年 / 著

《日本的间谍》 范士白自述 / 尊闻译

《日本大陆政策的真面目》 国难资料编辑社 / 编

《民众动员论》 李公朴 / 著

《中国外交史》 钱亦石 / 编著

《太平洋军事地理》 蒋震华 / 著

《世界经济地理讲话》 思慕 / 著

《列强军力论》 ［德］马克斯 · 威纳尔著 / 宾符 仲持 梅益等译

《近代国际关系史》 张铁生 / 著

《太平洋现势手册》 沈志远 石啸冲 / 编著

《近代世界政治史》 钱亦石 / 著

《从战争到和平——一九四五年的世界政治》 乔木 / 著

《战后日本问题》 思慕 / 著

《最近一年间的国际动态（1946.7–1947.6）》 《东北日报》社 / 编

《论政党》 翟放 / 著

《法与宪法》 韩幽桐 / 编著

《中华民国宪法刍议》 罗家衡 / 著

《民主 · 宪法 · 人权——作之民》 费孝通 / 著

《宪法论初步》 潘念之 / 著

《对反民主的抗争》 韬奋 / 著

《农村改进的理论与实际》 江恒源 / 著

《上海产业与上海职工》（上下）　　朱邦兴　胡林阁　徐声 / 合编

《陶行知教育论文选辑》　　陶行知著 / 方与严编

《中国通货膨胀论》　　杨培新 / 著

《中国及其未完成的革命》　　H·普拉特著 / 蒋天佐译

《中国的建设问题与人的训练》　　卢作孚 / 著

《论中国特殊性及其他》　　艾思奇 / 著

《中国经济问题讲话》　　钱俊瑞　徐雪寒　王渔邨　姜君辰　骆耕漠 / 合著

《中国经济的道路》　　许涤新 / 著

《中国财政之病态及其批判》　　孙怀仁 / 著

《官僚资本论》　　许涤新 / 著

《五四运动之史的评价》　　陈端志 / 著

《中国通史简编》（上下）　　中国历史研究会　范文澜 / 主编

《论文学的工农兵方向——读〈在延安文艺座谈会上的讲话〉》　雪苇 / 著

《中国近代史（上编　第一分册）》　　武波 / 编著

《文学百题》　　傅东华 / 编

《中国史学之进化》　　周谷城 / 著

《论民族形式问题》　　胡风 / 著

《论批评》　　荃麟等 / 著

《中国史纲》（第一卷上下、第二卷上下）　　翦伯赞 / 著

《近代中国思想学说史》（1–4）　　侯外庐 / 著

《中国政治思想史》（上下）　吕振羽 / 著

《中国哲学史纲要》　向林冰 / 著

《中国政治史讲话》　钱亦石 / 著

《中国社会经济史纲》　王渔邨 / 著

《新财政学大纲》　千家驹 / 著

《太平天国革命运动论文集——金田起义百周年纪念》

华北大学历史研究室 / 编

《理性与自由——文化思想批评论文集》　胡绳 / 著

《战斗者的诗人》　黄药眠 / 著

《国语文法》　曹朴 / 著

《教育哲学》　张栗原 / 著

《妇女问题讲话》　杜君慧 / 著

《婚姻 · 子女 · 继承》　沙千里 / 著

《性教育新论》　布士克　雅各生合著 / 董秋斯译

《狱中杂感》　杜重远 / 著

《七人之狱》　沙千里 / 著

《爱迪生传》　伍况甫 / 译

《歌德自传》（上下）　歌德著 / 思慕译

《尼赫鲁自传》　［印度］尼赫鲁著 / 毕来译

《列宁传》　［苏］凯尔任采夫著 / 企程　朔望译

《罗斯福总统传》　C. Mackenzie 著 / 张尚之译

《托尔斯泰传》（1–3）　［英］阿尔麦 · 莫德著 / 徐迟译

《革命文豪高尔基》 ［美］亚历山大 · 康恩著 / 韬奋编译

《鲁迅纪念特辑》 新中国文艺社 / 编

《回忆鲁迅先生》 萧红 / 著

《人民文豪鲁迅》 平心 / 著

《亡友鲁迅印象记》 许寿裳 / 著

《鲁迅思想研究》 何干之 / 著

《鲁迅研究》 夏征农 / 编

《过来的时代：鲁迅论及其他》 雪峰 / 著

《电影戏剧表演术》 洪深 / 著

《日常心理漫谈》 ［美］约瑟夫·查斯特罗著 / 曾宝葹译

《心理常识漫话》 朱智贤 杨云美 / 著

《读书的方法与经验》 王任叔 / 著

《美国黑人生活纪实》 ［美］加德维尔 斯坦倍克著 / 董秋斯译

《初访美国》 费孝通 / 著

《事业与成功》 ［美］马尔腾著 / 汪原放译

《萍踪寄语（初集）》 韬奋 / 著

《一生的幸福前途——〈生活周刊〉信箱选集》 生活书店 / 编选

《深刻的印象》 生活周刊社 / 编

《海外的感受》 生活书店编译所 / 编